ACCESO GRATIS *a la Lectura en la Nube*

Para visualizar el libro electrónico en la nube de lectura envíe junto a su nombre y apellidos una fotografía del código de barras situado en la contraportada del libro y otra del ticket de compra a la dirección:

ebooktirant@tirant.com

En un máximo de 72 horas laborables le enviaremos el código de acceso con sus instrucciones.

La visualización del libro en **NUBE DE LECTURA** excluye los usos bibliotecarios y públicos que puedan poner el archivo electrónico a disposición de una comunidad de lectores. Se permite tan solo un uso individual y privado.

EL CONTROL DE LOS PROCEDIMIENTOS DE EVALUACIÓN ACADÉMICA

Procedimiento de selección de originales, ver página web:
www.tirant.net/index.php/editorial/procedimiento-de-seleccion-de-originales

EL CONTROL DE LOS PROCEDIMIENTOS DE EVALUACIÓN ACADÉMICA

FERNANDO HERNÁNDEZ GUIJARRO

tirant lo blanch
Valencia, 2026

En caso de erratas y actualizaciones, la Editorial Tirant lo Blanch publicará la pertinente corrección en la página web www.tirant.com.

Director de la colección
CUADERNOS DE TRANSFERENCIA DE CONOCIMIENTO
COMUNICACIÓN

ALFONSO ORTEGA GIMÉNEZ
Profesor Titular de Derecho internacional privado
de la Universidad Miguel Hernández de Elche

EDITA: TIRANT LO BLANCH
C/ Artes Gráficas, 14 - 46010 - Valencia
TELFS.: 96/361 00 48 - 50
FAX: 96/369 41 51
Email: tlb@tirant.com
www.tirant.com
Librería virtual: www.tirant.es
DEPÓSITO LEGAL: V-550-2026
ISBN: 979-13-7021-789-1

Si tiene alguna queja o sugerencia, envíenos un mail a: *atencioncliente@tirant.com*. En caso de no ser atendida su sugerencia, por favor, lea en *www.tirant.net/index.php/empresa/politicas-de-empresa* nuestro procedimiento de quejas.

Responsabilidad Social Corporativa:
http://www.tirant.net/Docs/RSCTirant.pdf

Nota sobre el autor

FERNANDO HERNÁNDEZ GUIJARRO es Doctor en Derecho, 2014 (Calificación: Sobresaliente *Cum Laude* por unanimidad); Premio extraordinario de Doctorado, 2015-2016; Licenciado en Derecho, 2002; Diplomado en Empresariales por la Universitat de València, 1996 y, Grado en Gestión Económico-Financiera por la Universidad Católica de Valencia, 2016. Máster en Teoría Práctica Fiscal por la Universidad Antonio de Nebrija, 1998.

Profesor Titular de Derecho Financiero y Tributario en la Universitat Politècnica de València. También es Magistrado Suplente de la Sala de lo Contencioso-Administrativo del Tribunal Superior de Justicia de la Comunidad Valenciana desde 2019; y Vocal del Observatorio Fiscal de la Comunitat Valenciana de la Inmigración (Resolución de 1 de septiembre de 2020, del Presidente del Observatorio Fiscal de la Comunitat Valenciana, Conseller de Hacienda y Modelo Económico de la Generalitat Valenciana).

Ha ejercido como Abogado del Ilustre Colegio de Abogados de Valencia y Economista del Colegio de Economistas de Valencia, y trabajó en despachos de prestigio como Garrigues y Arco Abogados y Asesores Tributarios.

Miembro de la Red de Profesores de Derecho Financiero y Tributario, desde julio de 2022. Miembro del ELI (*European Law Institute*). Miembro del Instituto de Derecho Iberoamericano-IDIBE.

Ha recibido premios en docencia e investigación: Premio a la Excelencia Docente del Consejo Social de la Universitat Politècnica de València, en el año 2023. Premio a la Excelencia Jurídica "Derecho Financiero y Tributario" (2017). Instituto Superior de Derecho y Economía (ISDE) y Premio a la práctica jurídica Economist and Jurist 2018 (2018). Grupo Difusión Jurídica.

Ponente habitual en numerosos cursos y congresos en materia de Derecho Financiero y Tributario: Filosofía y Derecho Constitucional Tributario, y Procedimientos Tributarios, entre otros. Ha dirigido multitud de TFG y TFM y codirigido una Tesis doctoral.

Autor de diferentes artículos, notas, y comentarios relacionados con dichas materias publicados en Revistas científicas, técnicas y de divulgación, españolas y extranjeras; ha participado, como autor, coautor, director y/o coordinador en más de 60 libros.

Índice

I. Introducción

La carrera profesional del personal docente e investigador (PDI) universitario en España está fuertemente condicionada por diversos procedimientos de evaluación académica. Desde el reconocimiento de tramos de investigación ("sexenios" de investigación y más recientemente de transferencia), hasta los procesos de acreditación nacional para acceder a cuerpos docentes, y los concursos de acceso a plazas universitarias, la trayectoria del profesorado pasa por múltiples filtros evaluadores. Tales evaluaciones, realizadas por comisiones especializadas (por ejemplo, la CNEAI para los sexenios o las comisiones de ANECA para las acreditaciones), implican juicios técnicos discrecionales sobre los méritos académicos. Su correcto funcionamiento y control jurídico resultan cruciales para garantizar los principios de mérito y capacidad en el acceso y promoción académica (arts. 23.2 y 103.3 de la Constitución Española), así como la protección de los derechos de los profesores a una evaluación justa y no arbitraria.

Esta obra aborda de forma sistemática y accesible los principales procedimientos de evaluación académica en la carrera del PDI universitario, analizando su regulación, los límites jurídicos de la discrecionalidad técnica que ejercen los órganos evaluadores, y los medios de impugnación y control (administrativo y jurisdiccional) disponibles. Se presta especial atención a la función de los principios jurídicos como límite al poder de valoración de las agencias de evaluación, al papel garante del Consejo de Transparencia y Buen Gobierno (CTBG) en estos procesos, y a la evolución de la jurisprudencia reciente (Tribunal Supremo, Tribunales Superiores de Justicia e incluso Tribunal Constitucional) en materia de control de las evaluaciones técnicas.

Desde la doctrina clásica de Eduardo García de Enterría y Tomás-Ramón Fernández[1], hasta aportaciones más recientes como las de Miguel Sánchez Morón o las realizadas en algunos de mis trabajos académicos previos[2], existe un rico marco doctrinal que critica las inmunidades

---

1 García de Enterría, Eduardo. *La lucha contra las inmunidades del poder en el Derecho Administrativo.* Alianza Editorial, Madrid, 2004; Fernández, Tomás-Ramón. *De la arbitrariedad de la Administración.* Aranzadi, Pamplona, 2008; Fernández, Tomás-Ramón. "La discrecionalidad técnica: un viejo fantasma que se desvanece", *Revista de Administración Pública* n.º 196 (enero-abril 2015); Fernández Tomás-Ramón. "Juzgar a la Administración contribuye también a administrar mejor", *Revista española de Derecho Administrativo,* núm. 76, 1992.

2 Sánchez Morón, Miguel. "La lucha contra la arbitrariedad gubernativa en la función pública: el caso «Pérez de los Cobos»", *Revista de administración pública,* nº 223, 2024; Hernández-Guijarro, Fernando. "Los principios jurídicos como límite a la discrecionalidad técnica en los concursos

del poder administrativo en la valoración técnica y aboga por una tutela judicial efectiva más exigente. Como señalara Enterría, "la discrecionalidad es esencialmente una libertad de elección entre alternativas igualmente justas, o, si se prefiere, entre indiferentes jurídicos"[3]. Cuando ese poder de elegir se emplea para valorar méritos académicos, surgen interrogantes sobre sus límites: ¿hasta dónde pueden los órganos evaluadores decidir libremente? ¿Deben motivar sus decisiones? ¿Pueden los tribunales controlar esas valoraciones sin invadir terrenos técnicos? Este libro trata de responder a estas cuestiones de forma clara y fundamentada, proporcionando a los docentes universitarios –incluso a los no juristas– las claves jurídicas para entender y, en su caso, defender sus derechos en los procedimientos de evaluación académica.

Antes de entrar en materia, conviene señalar brevemente la base normativa general aplicable. El procedimiento administrativo común se rige por la Ley 39/2015, de 1 de octubre (LPAC), cuyos principios de motivación, control y transparencia de la actuación administrativa informan también los procesos evaluadores. Esta ley exige que los actos administrativos que limiten derechos o intereses legítimos estén debidamente motivados,

---

públicos de personal", *Revista Digital de Derecho Administrativo* (Univ. Externado Colombia), n.º 25 (primer semestre 2021).

3 García de Enterría, E. y Fernández, T.R.: *Curso de Derecho Administrativo, vol. I,* Civitas, Madrid, 1997.

con una sucinta referencia a hechos y fundamentos de derecho (art. 35.1.a) LPAC). Asimismo, los actos dictados en el ejercicio de potestades discrecionales han de motivarse (art. 35.1.i) LPAC), y en procedimientos de concurrencia competitiva, como son las convocatorias de evaluaciones o concursos de méritos, debe quedar constancia de los fundamentos de la resolución adoptada. Estos mandatos legales de motivación se enlazan con principios constitucionales como la interdicción de la arbitrariedad (art. 9.3 CE) y la tutela judicial efectiva (art. 24 CE), que enmarcan todo el estudio que sigue.

Estructuraremos el manuscrito en varios capítulos. En primer lugar, se describirán los procedimientos de evaluación académica más comunes en la carrera docente-investigadora: los sexenios de investigación y de transferencia del conocimiento, los procesos de acreditación del profesorado y los concursos de acceso a plazas. Seguidamente, analizaremos la noción de discrecionalidad técnica que tradicionalmente se atribuía a este tipo de evaluaciones, exponiendo sus límites doctrinales y jurídicos a la luz de la evolución jurisprudencial. Un capítulo específico estudiará el papel de los principios jurídicos (igualdad, mérito, capacidad, buena administración, defensa, interdicción de la arbitrariedad, etc.) como fuente del Derecho administrativo y como límites sustantivos a la facultad valorativa de las agencias evaluadoras. A continuación, examinaremos la aportación del Consejo de Transparencia y Buen Gobierno, un órgano independiente encargado de velar por la transparencia y las buenas prácticas, cuya intervención ha permitido afianzar el derecho de los solicitantes a conocer motivos y criterios de sus evaluaciones (a través de resoluciones estimatorias de reclamaciones en materia de acceso a la información pública). En otro capítulo se delimitarán los medios de impugnación disponibles frente a evaluaciones negativas: desde los recursos administrativos de reposición y alzada, hasta la vía jurisdiccional contencioso-administrativa; indicando plazos, órganos competentes y sus particularidades. Finalmente, se valorará críticamente la jurisprudencia reciente del Tribunal Supremo –y pronunciamientos relevantes de Tribunales Superiores de Justicia– en cuanto al control jurisdiccional de la discrecionalidad técnica: se citarán sentencias significativas con sus datos esenciales (número, fecha, fundamento jurídico) y, cuando proceda, con extractos literales de sus argumentos, tal como constan en fuentes oficiales (BOE, Cendoj, etc.). La obra concluirá con un conjunto de anexos de indudable utilidad, al ofrecer un conjunto de formularios de recursos o reclamaciones.

El objetivo es ofrecer una obra completa, rigurosa pero accesible, que sirva de guía a los docentes universitarios para comprender cómo se regulan y controlan jurídicamente los procesos de evaluación académica, qué garantías existen frente a la posible arbitrariedad técnica, y qué herramientas pueden utilizar para defender sus méritos y derechos en estos procedimientos.

II. Procedimientos de evaluación académica en la carrera del PDI universitario

En el ámbito universitario español, la evaluación de la actividad investigadora y docente del profesorado se articula principalmente a través de cuatro procedimientos a lo largo de su carrera profesional:

1. **Sexenios de investigación** (tramos de investigación cada seis años reconocidos por la CNEAI/ANECA).
2. **Sexenios de transferencia del conocimiento e innovación** (tramos de transferencia, de implantación más reciente).
3. **Acreditaciones nacionales** para el acceso a los cuerpos docentes universitarios (figura de profesor titular y catedrático, así como figuras contractuales acreditadas).
4. **Concursos de acceso y provisión de plazas** en las universidades (concurso-oposición o concurso de méritos para plazas de profesor).

Cada uno de estos procedimientos tiene su regulación específica y características propias, si bien comparten la finalidad de evaluar los méritos académicos conforme a ciertos criterios de calidad, impacto y relevancia, y todos ellos involucran un juicio técnico por órganos colegiados de evaluación. A continuación, se describen sistemáticamente cada uno de estos procesos.

2.1. SEXENIOS DE INVESTIGACIÓN

El sexenio de investigación es un tramo de seis años de actividad investigadora evaluada positivamente, que da derecho al profesor o investigador a un complemento retributivo por productividad investigadora. Fue instituido a finales de los años 1980 (Real Decreto 1086/1989, de 28 de agosto, sobre retribuciones del profesorado universitario) y desarrollado por la Orden de 2 de diciembre de 1994, que estableció el procedimiento para la evaluación de la actividad investigadora del personal docente universitario. La evaluación la lleva a cabo la Comisión Nacional Evaluadora de la Actividad Investigadora (CNEAI), hoy integrada en ANECA como órgano autónomo.

La normativa vigente, consolidada en el Estatuto de ANECA (Real Decreto 1112/2015, de 11 de diciembre), atribuye expresamente a la CNEAI la función de evaluar la actividad investigadora de los profesores universitarios funcionarios, así como de investigadores funcionarios de los Organismos Públicos de Investigación del Estado. Cada año se aprueba una convocatoria de solicitud de sexenios de investigación. Por ejemplo, la Resolución de 11 de diciembre de 2024, de la Secretaría General de Universidades (BOE de 24/12/2024) aprobó la convocatoria de evaluación de la actividad investigadora del año 2024. En dicha convocatoria se fijan los plazos para que los profesores presenten sus solicitudes de evaluación de un tramo de 6 años (normalmente el plazo se sitúa entre final de año y enero del año siguiente).

Los criterios de evaluación aplicables a los sexenios de investigación se publican anualmente en una resolución de la CNEAI. Así, la Resolución de 9 de diciembre de 2024 de la CNEAI (BOE de 19/12/2024) estableció los criterios específicos de evaluación para la convocatoria correspondiente. Esta práctica anual de publicar criterios viene impuesta por el art. 20 del Estatuto de ANECA, que prevé que la CNEAI, a través de su Presidente, eleve a la Secretaría de Estado competente una propuesta de criterios específicos bienal, para su publicación en BOE. Los criterios se organizan por grandes campos científicos (áreas de conocimiento), y tipifican qué aportaciones se valoran (artículos en revistas científicas, libros, capítulos, patentes, etc.) y con qué ponderaciones o indicios de calidad.

Tradicionalmente, los criterios de evaluación de sexenios diferenciaban aportaciones "ordinarias" (artículos, libros, patentes...) de aportaciones "extraordinarias" (otros trabajos técnicos, artísticos, informes, congresos) que sólo complementaban a las ordinarias. Sin embargo, en los últimos años ha habido reformas para ampliar y flexibilizar los tipos de méritos evaluables. Por ejemplo, la Resolución CNEAI de 9/12/2024 señala que en la convocatoria 2024 de sexenios de investigación se mantiene la ampliación de aportaciones posibles, aceptando presentar aportaciones "extraordinarias" en todos los campos, respetando la especificidad de cada disciplina. Igualmente, se incorpora una combinación de métodos cualitativos y cuantitativos de valoración, alineada con tendencias internacionales de reforma de la evaluación científica (como la adhesión de ANECA a DORA y CoARA)[4].

El procedimiento de evaluación del sexenio de investigación funciona de la siguiente manera: el profesor solicitante presenta hasta cinco aportaciones significativas que haya publicado o realizado en el período de seis años evaluado. Un Comité Asesor de especialistas en su campo examina la calidad de esas aportaciones según los criterios establecidos. El Comité emite un informe técnico en términos numéricos (puntuación de 0 a 10) para cada solicitante. Con base en esos informes, la CNEAI formula la resolución reconociendo el tramo de investigación si se alcanzó el umbral de calidad (generalmente 30 puntos sobre 50 posibles, su-

---

4 Estos acrónimos corresponden a la San Francisco Declaration on Research Assessment (DORA) y a los acuerdos y principios de la Coalition for Advancing Research Assessment (CoARA).

mando las cinco aportaciones) o denegándolo en caso contrario. La CNEAI puede apartarse del informe del Comité, pero si lo hace debe motivarlo expresamente, indicando las razones para desviarse del criterio técnico asesor. La resolución resultante se notifica al interesado.

Es importante destacar que la resolución denegatoria de un sexenio no agota la vía administrativa. El profesor puede interponer recurso de alzada ante el órgano superior. Conforme al Estatuto de ANECA, los recursos de alzada relativos a evaluaciones de actividad investigadora deben ser resueltos por el Director de ANECA[5]. El plazo máximo para resolver la alzada es de tres meses; si transcurre sin resolución expresa, el recurso se entiende desestimado por silencio. Contra la resolución de la alzada (que pone fin a la vía administrativa) ya solo cabría acudir a la vía jurisdiccional contencioso-administrativa. Más adelante, al estudiar los medios de impugnación (Capítulo VI), detallaremos estos extremos.

La importancia de los sexenios de investigación en la carrera académica es capital. No sólo conllevan un complemento salarial, sino que su obtención repetida (hasta un máximo de seis sexenios a lo largo de la vida profesional)

---

5 De acuerdo con lo dispuesto en el artículo 20.3 del Estatuto de ANECA, aprobado por Real Decreto 1112/2015, de 11 de diciembre, y en los artículos 121 y 122 de la Ley 39/2015, de 1 de octubre.

es considerada un indicador clave de la productividad científica del profesor. Además, tener sexenios aprobados suele ser requisito o criterio de mérito en concursos, acreditaciones y otros procesos (por ejemplo, para dirigir tesis doctorales, ser miembro en tribunales para concursos de plazas de profesor universitario o para reducción de docencia por investigación). Consecuentemente, las decisiones de la CNEAI en esta materia han sido objeto de numerosos recursos y litigios, alimentando una jurisprudencia abundante en torno al control de la discrecionalidad técnica como veremos en capítulos posteriores.

Conviene mencionar que la reciente Ley Orgánica 2/2023, de 22 de marzo, del Sistema Universitario (LOSU), y el Real Decreto 678/2023, de 18 de julio, han introducido novedades en la regulación del profesorado universitario que también afectan indirectamente a los sexenios. En particular, el RD 678/2023 (que regula la acreditación estatal para cuerpos docentes y los concursos) establece en su art. 21.6 que la "ANECA deberá garantizar la coherencia de los méritos, competencias y criterios utilizados en sus diversos procedimientos de evaluación". Esto ha impulsado un proceso de convergencia de criterios entre las evaluaciones de sexenios y las acreditaciones, de modo que se valore una amplia gama de resultados (publicaciones, datos, software, patentes, creaciones artísticas, etc.) y no solo artículos en revistas clásicas. La convocatoria de sexenios de 2023-2024 ya reflejó esta convergencia incipiente.

En suma, el procedimiento de sexenios de investigación se caracteriza por: (a) una regulación detallada de criterios evaluativos publicados oficialmente; (b) una valoración técnica por comités especializados con puntuación numérica; (c) un margen de apreciación (discrecionalidad técnica) de la comisión evaluadora, limitada por la necesidad de motivar las decisiones especialmente si se apartan de los informes; y (d) la posibilidad de recurso y control posterior. Este modelo ha servido de base para extender la evaluación por tramos a otras actividades del PDI, como veremos seguidamente con los sexenios de transferencia.

2.2. SEXENIOS DE TRANSFERENCIA DEL CONOCIMIENTO E INNOVACIÓN

El llamado sexenio de transferencia es un mecanismo relativamente reciente, orientado a evaluar y reconocer la actividad de transferencia del conocimiento, innovación y difusión realizada por los profesores universitarios. Se concibe como complemento a los sexenios tradicionales de investigación, poniendo en valor otro tipo de méritos no estrictamente científicos sino de interacción con la sociedad y el sector productivo (patentes explotadas, contratos con empresas, informes técnicos relevantes, desarrollo de productos innovadores, divulgación científica de alto impacto, etc.).

El sexenio de transferencia fue introducido inicialmente con carácter piloto en 2018. El Ministerio de Ciencia, Innovación y Universidades lanzó una convocatoria piloto en 2018 para que los profesores funcionarios solicitaran la evaluación de un tramo (6 años) de transferencia del conocimiento. Dicha convocatoria se reguló por una resolución de 2018 de la Secretaría de Estado (BOE de 26 de noviembre de 2018) y estableció criterios *ad hoc* para medir la transferencia. Como era una experiencia piloto, se permitió que quienes obtuvieran evaluación negativa pudieran volver a solicitar el mismo tramo en la siguiente convocatoria[6]. Sin embargo, no han habido más.

Regulatoriamente, no existe aún un real decreto específico para el sexenio de transferencia[7].

El procedimiento de evaluación es similar al de investigación: se presentan aportaciones (hasta cinco) relativas al periodo de seis años en transferencia, y se valoran por

---

6 En dicha convocatoria se presentaron 16.790 solicitudes. Según los resultados publicados por la ANECA, de las 16.204 evaluadas, el 54,15% tuvieron resultado negativo: https://www.aneca.es/transferencia (consultado el 14 de julio de 2025)

7 En julio de 2024 se publicó un proyecto de real decreto para integrarlo formalmente, pero hasta la fecha se rige por resoluciones de convocatoria. Ver en: https://www.ciencia.gob.es/Noticias/2024/Julio/sexenios-quinquenios.html (consultado el 4 de agosto de 2025).

un comité asesor específico. Una particularidad es que la normativa aclara la no duplicidad de méritos: una misma aportación no puede contabilizarse en un sexenio de transferencia si ya fue utilizada en un sexenio de investigación, y viceversa, evitando reiteraciones. Esto garantiza la independencia de ambos tramos. No obstante, puede haber complementariedad: un investigador podría obtener en un sexenio de investigación por artículos científicos, y en un sexenio transferencia por patentes derivadas de esos mismos proyectos, siempre que no se repita el mismo *ítem* exacto en ambas evaluaciones.

Al igual que en los sexenios de investigación, las resoluciones de la CNEAI en transferencia pueden ser favorables (reconocimiento del tramo) o denegatorias. En caso de denegación, igualmente cabe recurso de alzada ante el Director de ANECA. En definitiva, el esquema de impugnación es análogo al de los sexenios de investigación: alzada ante ANECA (plazo un mes, resolución en tres meses, silencio desestimatorio) y luego vía contenciosa.

La incorporación de los sexenios de transferencia refleja una evolución en la concepción de la carrera académica: ya no solo importa publicar artículos científicos, sino también transferir ese conocimiento a la sociedad. Este cambio trae consigo retos de evaluación (¿cómo comparar la relevancia de, por ejemplo, una patente vs. un informe técnico vs. la creación de una spin-off?). Se trata de valoraciones si cabe más complejas y plurales técnicamente, lo que aumenta la potencial discrecionalidad técnica de los evaluadores. Por ello es vital asegurar que existan criterios públicos, objetivos y fundamentados, y que las decisiones estén motivadas para posibilitar su control. Sobre estos aspectos profundizaremos al hablar de discrecionalidad técnica (Capítulo III) y principios jurídicos (Capítulo IV). Baste mencionar aquí un ejemplo jurisprudencial: una Sentencia del Tribunal Supremo de 12 de junio de 2018 (STS 986/2018) estimó un recurso contencioso contra CNEAI precisamente por un defecto en la valoración de un sexenio (de investigación, aunque aplicable por analogía a transferencia), reprochando que solo se había considerado el medio de publicación de las aportaciones y no su contenido intrínseco. El TS sentenció que debe valorarse "teniendo en cuenta las características de los trabajos de investigación además de las del medio en que se han publicado". Esta doctrina refuerza la exigencia de un examen cualitativo real de las aportaciones, algo muy pertinente en transferencia donde a veces primaba contabilizar el tipo de mérito más que su calidad o impacto real.

En conclusión, los sexenios de transferencia se han consolidado como un segundo pilar evaluador de la carrera académica, complementando a los sexenios de investigación. Su régimen comparte con estos últimos la estructura procedimental (convocatoria, solicitud, evaluación por comité, decisión de CNEAI, posibilidad de recurso) y plantea similares desafíos de garantía jurídica. La extensión del concepto de "mérito evaluado" al campo de la transferencia hace aún más necesario dotar de seguridad jurídica al proceso, para evitar arbitrariedades o desigualdades en terrenos novedosos. Los principios de mérito y capacidad igualmente rigen aquí, y deben tutelarse frente a posibles excesos de discrecionalidad técnica, como se verá más adelante.

2.3. ACREDITACIONES NACIONALES DEL PROFESORADO UNIVERSITARIO

Otro procedimiento crítico en la carrera del PDI es la acreditación nacional para el acceso a cuerpos docentes universitarios, gestionada también por ANECA. La Ley Orgánica 6/2001, de Universidades (LOU), instauró en 2007 (tras una reforma) un sistema por el cual, para poder presentarse a las plazas de Profesor Titular de Universidad o Catedrático de Universidad, el aspirante debe previamente obtener una acreditación que certifique que cumple los méritos mínimos. Estas acreditaciones son evaluaciones de la trayectoria del profesor en investigación, docencia, transferencia y gestión, realizadas por comisiones de ANECA (una por cada gran área de conocimiento). Existen asimismo acreditaciones para figuras de profesor contratado (Profesor Permanente Laboral -antes Contratado Doctor- y Profesor de Universidad Privada), también gestionadas por ANECA pero con efectos en el ámbito contractual.

El sistema de acreditación ha sufrido modificaciones con los años. Más recientemente, la Ley Orgánica 2/2023, del Sistema Universitario (LOSU), ha mantenido la acreditación nacional para titulares y catedráticos, aunque introduciendo la posibilidad de concursos de acceso por concurso de méritos (especialmente para titulares) siempre que medie dicha acreditación. El desarrollo reglamentario vigente se contiene en el Real Decreto 678/2023, de 18 de julio, por el que se regula la acreditación estatal para el acceso a los cuerpos docentes universitarios y el régimen de los concursos de acceso a plazas de dichos cuerpos[8].

En esencia, la acreditación consiste en que un profesor presenta una solicitud a ANECA aportando todos sus méritos en las distintas dimensiones (formación, actividad investigadora, actividad docente, transferencia, experiencia en gestión académica). La ANECA, a través de la división de evaluación de profesorado, asigna la solicitud a la Comisión de Acreditación del área correspondiente. Esa Comisión (cuyo número no será inferior a 7 ni superior a 21 miembros académicos) realiza una evaluación global y emite un informe-propuesta: favorable (acreditando al candidato) o desfavorable.

---

8 Deroga el Real Decreto 1312/2007, de 5 de octubre (para acreditaciones de profesor titular y catedrático) y el Real Decreto 1313/2007 (sobre el régimen de los concursos). Ambos modificados parcialmente por el RD 415/2015.

Los criterios están recogidos en baremos publicados por ANECA (por ejemplo, documentos de criterios publicados en su web y en resoluciones ministeriales). Cabe destacar que tras la entrada en vigor de la LOSU y el RD 678/2023, se busca alinear los criterios de acreditación con los de otros procesos (como sexenios), promoviendo una valoración integral de resultados de investigación con impacto científico y social.

La resolución final de acreditación la emite el Director de ANECA (o por delegación el titular de la División correspondiente), normalmente siguiendo la propuesta de la Comisión evaluadora. Si es favorable, el profesor queda acreditado y puede inscribirse en los concursos de plazas de esa categoría en universidades. Si es desfavorable, nos encontramos una peculiaridad: en lugar del típico recurso de alzada ante un superior jerárquico (puesto que ANECA actúa por delegación del Ministerio, pero las Comisiones son independientes), la normativa prevé una reclamación ante el Consejo de Universidades, tal y como dispone el art. 25 del RD 678/2023.

El Consejo de Universidades (órgano colegiado estatal que agrupa a todos los rectores, presidido por el Ministro) tiene atribuida la competencia de resolver las reclamaciones de los aspirantes no acreditados. Para ello, se nombran comisiones de reclamación específicas, diferentes de las que realizaron la evaluación inicial. Estas comisiones revisan el expediente y pueden confirmar o revocar la denegación. Si la reclamación prospera, el Consejo de Universidades propone otorgar la acreditación al solicitante; si se desestima, se agota la vía administrativa.

Formalmente, esta reclamación ante el Consejo de Universidades equivale a un recurso administrativo, aunque se denomine de otro modo. No cabe después otro recurso de alzada, pero sí recurso potestativo de reposición contra la resolución del Consejo (al ser acto del Ministro de Universidades, cabría reposición ante el propio Consejo/Ministerio) o directamente recurso contencioso-administrativo ante la Audiencia Nacional. De hecho, muchos candidatos que ven rechazada su acreditación agotan esta vía judicial. La experiencia indica que la reclamación ante el Consejo de Universidades en contadas ocasiones revoca las denegaciones, por lo que el control efectivo suele trasladarse a los tribunales.

La relevancia de las acreditaciones radica en que sin ellas no se puede progresar en la carrera funcionarial universitaria. Se espera que la agencia evaluadora actúe con objetividad y respeto a los principios de mérito e igualdad. Por ello, las resoluciones de acreditación deben estar motivadas. Dado que suelen consistir en un informe global con puntuaciones en varias dimensiones, ha habido polémicas acerca de qué nivel de detalle de motivación es exigible. El Tribunal Supremo, como veremos, ha analizado casos de motivación insuficiente en acreditaciones. Por ejemplo, ha señalado que, aun tratándose de evaluaciones complejas, el candidato tiene derecho a conocer las razones por las que no alcanza el umbral, más allá de una mera puntuación numérica. Es decir, no bastan puntuaciones, hacen falta buenas razones para justificar la decisión[9].

Por último, mencionar que las acreditaciones concedidas se publican periódicamente en la web de ANECA[10], mientras que las denegadas se notifican individualmente. Existe un cierto control de transparencia sobre el proceso: ANECA publica estadísticas de tasas de éxito, y ha llegado a suscribir un Código Ético (Resolución de 23 de noviembre de 2023, BOE de 29/12/2023) para asegurar buenas prácticas en sus comisiones evaluadoras. Pese a ello, la discrecionalidad técnica en las acreditaciones es un aspecto sensible: las comisiones gozan de margen para apreciar la calidad de méritos, y esa apreciación ha dado lugar a contenciosos donde se alega desviación de poder, arbitrariedad, infracción de principios jurídicos o error patente. La jurisprudencia ha debido ponderar la frontera entre la autonomía técnica de la ANECA y la necesaria sujeción al Derecho

---

9 Fernández T.R. ¿Debe la Administración actuar racional y razonablemente?, *Revista española de derecho administrativo*, nº 83, 1994, pp. 381-401.

10 Listado de acreditaciones por años en: https://www.aneca.es/web/guest/acreditaciones-conseguidas (consultado el día 8 de agosto de 2025).

(control judicial). Esto se examinará en detalle en el Capítulo VII sobre jurisprudencia.

2.4. CONCURSOS DE ACCESO Y OTROS PROCEDIMIENTOS SELECTIVOS EN LA UNIVERSIDAD

Una vez obtenida la acreditación (en el caso de cuerpos docentes) o cumpliendo los requisitos pertinentes (en el caso de contratos laborales), los profesores pueden concurrir a los concursos de acceso que convocan las universidades para proveer plazas de Profesor Titular, Catedrático u otras figuras. Estos concursos son en sí mismos procedimientos de evaluación y selección, normalmente gestionados por la propia universidad convocante, pero con presencia de miembros externos en la comisión. Aunque su regulación detallada excede el objeto de este libro, merece la pena resaltarlos brevemente porque muchas de las consideraciones sobre discrecionalidad técnica aplican igualmente a ellos.

Estos concursos universitarios también son casos de ejercicio de discrecionalidad técnica: las comisiones gozan de amplio margen para decidir qué candidato es mejor, siempre que respeten las bases y emitan informes motivados. Los candidatos que no resultan seleccionados pueden impugnar la decisión ante la jurisdicción contenciosa, alegando como causa: infracción de bases, arbitrariedad, falta de motivación en las puntuaciones, etc. Históricamente, la jurisprudencia era reacia a cuestionar las decisiones de estos tribunales calificadores, escudándose en la discrecionalidad técnica; pero, como veremos, en los últimos años los tribunales han intensificado el control, exigiendo motivaciones más claras y corrigiendo decisiones cuando se aprecian vicios graves (por ejemplo, asignaciones de puntuaciones incoherentes con los méritos presentados, comparaciones irrazonables o trato desigual entre aspirantes).

Además de los concursos de plazas, en la universidad existen otros procedimientos evaluadores del PDI que merecen mención: por ejemplo, las evaluaciones de la actividad docente (quinquenios de docencia), las evaluaciones para incentivos autonómicos, o los programas de promoción interna. Los quinquenios docentes son análogos a los sexenios, pero valoran la calidad de la docencia impartida; suelen ser concedidos por la universidad. Aunque su impacto económico es menor, también han generado litigios, sobre todo por los criterios de evaluación de la docencia y la posible discrecionalidad en apreciarla como "positiva" o no.

Por razones de espacio nos centraremos principalmente en sexenios de investigación y transferencia, acreditaciones y concursos, que son los procedimientos de mayor trascendencia en la carrera académica y en los que se han producido los desarrollos doctrinales y jurisprudenciales más significativos en materia de control de discrecionalidad técnica. No obstante, muchas de las conclusiones sobre la necesidad de motivar, de respetar principios de igualdad y no arbitrariedad, etc., son extensibles a cualquier procedimiento evaluador o selectivo en la Administración universitaria.

En resumen, el PDI universitario se enfrenta a múltiples evaluaciones a lo largo de su carrera: para conseguir complementos salariales (sexenios), para poder aspirar a ciertos puestos (acreditaciones), y finalmente para obtenerlos (concursos). Todos estos procesos deben regirse por los principios de objetividad, mérito y capacidad, transparencia y buena administración. Sin embargo, la práctica muestra que existe un componente subjetivo o técnico en la valoración, que históricamente se ha denominado discrecionalidad técnica. En el siguiente capítulo analizaremos este concepto, su alcance y cómo los juristas y tribunales lo han acotado, sentando límites a fin de proteger los derechos de los participantes en estos procedimientos.

III. La discrecionalidad técnica: concepto, doctrinas y evolución jurisprudencial

3.1. CONCEPTO DE DISCRECIONALIDAD TÉCNICA Y SU ORIGEN

La expresión "discrecionalidad técnica" se ha utilizado tradicionalmente para describir aquellas decisiones administrativas fundadas en apreciaciones de carácter especializado, científico o técnico, en las que no existe una única solución correcta indubitada, sino un margen de valoración por parte del órgano competente. En el contexto de las evaluaciones académicas, nos referimos a que las comisiones evaluadoras (de sexenios, acreditaciones, concursos, etc.) realizan juicios de valor técnico sobre la calidad de publicaciones, la relevancia de méritos, la adecuación de un perfil académico a una plaza, etc.

Calificar un artículo científico como "relevante" o "puntero", otorgar x puntos a la docencia de un candidato, considerar un proyecto de transferencia como de alto impacto, son ejemplos de valoraciones técnicas. A diferencia de una decisión discrecional pura (como podría ser elegir entre conceder o no una autorización en función de oportunidad), aquí la decisión se supone basada en criterios científicos o académicos. De ahí el término híbrido discrecionalidad–técnica, que según algunos autores es casi un oxímoron, pues la voz "discrecionalidad" sugiere libertad de elección, mientras "técnica" sugiere sujeción a reglas objetivas de la ciencia o el arte correspondiente.

En el Derecho administrativo clásico, la noción de discrecionalidad técnica fue controvertida. Durante décadas, la jurisprudencia y una parte de la doctrina sostuvieron que cuando la Administración actuaba mediante juicios técnicos (p.ej., tribunales de oposiciones corrigiendo exámenes), esas decisiones quedaban prácticamente fuera del alcance del control judicial. Se las consideraba dotadas de una especie de "inmunidad" por deferencia a la autoridad y experiencia del evaluador. Como resumió el Profesor Tomás-Ramón Fernández, nuestros tribunales llegaron a reconocer a estos órganos calificadores una soberanía en sus valoraciones "cuyo juicio profesional y técnico, formulado con los méritos alegados y probados por los aspirantes, no se puede impugnar"[11]. En consecuencia, el control jurisdiccional se limitaba a los aspectos formales del

---

[11] Fernández, T-R.: *De la arbitrariedad de la Administración*, Navarra: Aranzadi, 2008, pp. 40 y 41.

procedimiento (cumplimiento de bases, ausencia de vicios formales), pero no entraba a revisar el fondo de las calificaciones técnicas, salvo error manifiesto.

Esta posición, asentada en la segunda mitad del siglo XX, generó críticas doctrinales notables. El gran jurista suizo Hans Huber la calificó de "caballo de Troya" del Estado de Derecho[12], en cuanto introducía una zona prácticamente inmune al control judicial dentro de la actuación administrativa. Ya en 1985, Eduardo Coca Vita escribió significativamente "también la discrecionalidad técnica bajo el control último de los Tribunales"[13], abogando porque incluso esas valoraciones debían poder ser contrastadas con criterios jurídicos de razonabilidad. En efecto, estos autores sostenían que en un Estado de Derecho no puede haber actos administrativos exentos de control jurisdiccional; reconocer un "privilegio de infalibilidad" a los órganos técnicos equivalía a dejar al ciudadano en indefensión en esa parcela. A tal efecto, los principios de tutela judicial (art. 24 CE) y de interdicción de la arbitrariedad (art 9.3 CE) impiden aceptar parcelas de decisión administrativa no fiscalizables.

---

12 Citado en; García de Enterría, E.: El control de los poderes discrecionales de la administración, *Revista de Derecho Público*, núm. 17, 1997, p.81.

13 Coca Vita, E.: También la discrecionalidad técnica bajo el control último de los Tribunales, *Revista de administración pública*, núm. 108, 1985, pp. 205-214.

Del lado opuesto, otros autores defendían que los tribunales carecen de conocimientos especializados para revisar esas decisiones sin suplantar indebidamente a la Administración. Era la tensión clásica entre garantizar la legalidad y no desnaturalizar la función técnica. El Tribunal Constitucional intervino tangencialmente en esta discusión en algunos casos de oposiciones. En particular, la STC 34/1995, de 6 de febrero (caso de una oposición a Oficial de Justicia) marcó una pauta restrictiva del control en sede de amparo: el TC negó la vulneración de derechos fundamentales, señalando que la apreciación de si una respuesta de examen era válida o no, pertenecía al ámbito de la legalidad ordinaria, y que solo cabría hablar de violación de tutela judicial efectiva si se probase "malicia de la comisión evaluadora o desconocimiento inexcusable" de las bases, lo cual no se dio[14]. En otras palabras, el TC apoyó que las discrepancias técnico-científicas no escalaran al nivel constitucional salvo arbitrariedad palmaria.

Así las cosas, durante mucho tiempo la doctrina jurisprudencial del Tribunal Supremo fue la de la autoconten-

---

[14] El Tribunal, citando su anterior STC 353/1993, de 29 de noviembre, afirmó que cabría revisión "únicamente en los supuestos de desvío de poder o arbitrariedad por tratarse de un error grave o manifiesto que cabe presuponer fundado en malicia del Juzgador o en desconocimiento inexcusable de la materia juzgada"

ción: se hablaba de la "intangibilidad" del juicio técnico de los tribunales calificadores. Un hito frecuentemente citado es la STS de 5 de julio de 1996, que consagró la idea de que las calificaciones numéricas de la CNEAI (en evaluaciones de sexenios) no requerían motivación detallada y no eran revisables por los jueces en cuanto a su contenido, dado su carácter técnico. Esta sentencia de 1996 sostuvo que el informe técnico del comité evaluador expresado en una simple puntuación numérica satisfacía las exigencias del procedimiento, sin necesidad de más explicaciones. Tal criterio, como veremos, sería posteriormente revisado por el propio Supremo.

En resumen, la doctrina tradicional de la discrecionalidad técnica postulaba que los tribunales no debían adentrarse en el conocimiento de los juicios técnicos de la Administración, so pena de reemplazarla indebidamente. El papel del juez se limitaba a comprobar que el procedimiento se hubiera seguido correctamente, que no hubiera desviación de poder evidente o error material manifiesto, pero no a valorar de nuevo los méritos ni a corregir puntuaciones. Esta doctrina, sin embargo, dejó un poso de indefensión en muchos casos: aspirantes que se sabían perjudicados por evaluaciones quizás injustas o poco objetivas, pero que no hallaban resquicio legal para que un juez revirtiera la situación. A esta indefensión alude Fernández cuando habla del "viejo y ominoso fantasma" de la discrecionalidad técnica, comparándolo a la mala hierba que renace una y otra vez[15].

3.2. LÍMITES JURÍDICOS INTRÍNSECOS: LA MOTIVACIÓN Y LA INTERDICCIÓN DE LA ARBITRARIEDAD

Incluso en épocas de apogeo de la doctrina clásica, siempre se reconoció que la discrecionalidad técnica no es un poder absoluto. Dos límites básicos son consustanciales a cualquier actuación administrativa discrecional: la obligación de motivar y la prohibición de arbitrariedad (art. 9.3 CE). Aunque se pensara que un tribunal no puede sustituir un criterio técnico por otro, al menos puede y debe verificar que la decisión esté debidamente motivada (razonada) y que no resulte arbitraria o ilógica.

La motivación de los actos administrativos es un requisito general establecido en la Ley 39/2015 (antes en la Ley 30/1992 LRJ-PAC). En los actos de evaluación académica, esto implica que el órgano evaluador debería explicar de forma comprensible por qué concede determinada puntuación o calificación. En la práctica, por ejemplo, las comisiones de acreditación nacional emiten informes

---

15 Fernández T-R.: La discrecionalidad técnica: un viejo fantasma que se desvanece. *Revista de Administración Pública*, núm. 196, enero-abril 2015, p. 211.

justificativos donde enumeran los méritos del candidato y valoran si alcanzan el nivel requerido. De igual modo, las resoluciones denegatorias de sexenios incluyen (o deben incluir) una sucinta indicación de por qué las aportaciones presentadas no se consideraron suficientes.

Durante años, esa motivación en muchas ocasiones fue mínima o meramente numérica. Sin embargo, un giro jurisprudencial clave vino con la STS de 3 de julio de 2015 (rec. 2941/2013), que supuso un punto de inflexión. En ella, el Tribunal Supremo corrigió expresamente la jurisprudencia anterior (la de 1996 mencionada), afirmando que no existe un "refugio" que exima de motivar por tratarse de juicio técnico. Al contrario, declaró que no puede entenderse motivada una decisión evaluadora cuando el informe técnico únicamente contiene una cifra numérica, sin añadir ninguna explicación relevante. El TS reconoció que la normativa (Orden de 1994 de sexenios) permitía expresar el juicio técnico en términos numéricos, "*pero ello no significa que se haya creado una suerte de actos exentos de la exigencia de motivación*"[16]. La puntuación debe ir

---

[16] La citada sentencia concluirá que "el juicio técnico efectivamente se resume o termina en una calificación, pero ese resultado final ha de ir precedido de la correspondiente motivación, explicando las razones por las que la Comisión, o por remisión el Comité, ha cifrado su calificación en una determinada puntuación".

precedida de la correspondiente justificación de las razones por las que se otorga esa nota.

Esta misma STS de 2015 clarificó también el alcance del control judicial en estos casos. Señaló que el control es limitado, sin llegar a la plenitud de cognición de otros actos, pues el tribunal no puede sustituir el juicio técnico por el suyo propio. Pero al exigir motivación, lo que se consigue es que el juez pueda verificar: (a) que se han expuesto razones comprensibles de la puntuación; (b) que la decisión no es arbitraria ni incurre en desviación de poder, ni contradice principios generales del Derecho; y (c) que no hay vicios formales. Cito literalmente las palabras del Tribunal Supremo en dicha sentencia: "la motivación del acto [...] nos permite controlar que efectivamente se han puesto de manifiesto, de forma comprensible, las razones de la puntuación expresada, y además, que esa decisión no es arbitraria, no incurre en desviación de poder, no se opone a los principios generales del derecho, o no incurre en defectos de índole formal". Obsérvese cómo el propio TS menciona explícitamente los principios generales como parámetro de control (igualdad, mérito, etc., que exploraremos en el capítulo IV).

Por tanto, incluso bajo discrecionalidad técnica, el juez puede examinar la racionalidad y coherencia de la valoración realizada. Si la motivación es inexistente o insuficiente, el acto es anulable. Si la motivación existe, pero revela una decisión ilógica o arbitraria, también cabrá anularla. Un ejemplo de arbitrariedad podría ser valorar a dos candidatos de forma dispar cuando presentan méritos sustancialmente iguales, sin justificación. Esto se conectaría, por ejemplo, con la vulneración del principio de igualdad.

3.3. LA JURISPRUDENCIA RECIENTE DEL TRIBUNAL SUPREMO: HACIA LA DESAPARICIÓN DEL "FANTASMA"

A partir de aproximadamente 2010, la Sala de lo Contencioso-Administrativo del Tribunal Supremo inició una línea jurisprudencial más garantista en materia de discrecionalidad técnica, especialmente palpable en casos de concursos-oposición de funcionarios y en evaluaciones académicas. El Profesor Tomás-Ramón Fernández documentó esta evolución en el artículo ya citado: "La discrecionalidad técnica: un viejo fantasma que se desvanece" (RAP, núm. 196, 2015), celebrando que el Supremo había puesto fin a la indefensión que antes sufrían los aspirantes.

Entre las sentencias emblemáticas de esta tendencia destacan las dos Sentencias del 31 de julio de 2014 (recursos de casación 2001/2013 y 3779/2013). En esos casos, relativos a unas oposiciones en la Administración local, el TS no se conformó con ordenar la retroacción para motivar de nuevo, sino que fue más allá: comprobó que había habido una diferencia injustificada de trato entre opositores. Concretamente, dos aspirantes habían respondido prácticamente igual a una pregunta de desarrollo; uno recibió 24 puntos (suspenso) y otro 31 puntos (aprobado). El tribunal calificador se excusó diciendo vagamente que la nota dependía de la "capacidad de análisis demostrada" pero sin dar más detalle, lo cual el TS consideró que no era un juicio razonado real sino repetir la fórmula de la base sin concretar.

Lo crucial es que el TS comparó las respuestas de los candidatos (algo impensable bajo la doctrina antigua) y constató que eran prácticamente idénticas en contenido y forma. Al no haber diferencias significativas, la distinta calificación carecía de razón aparente: "situaciones sustancialmente iguales sin que se advierta la razón que pueda explicarlo", dijo el Tribunal. Esto constituía una arbitrariedad y una vulneración del principio de igualdad en el acceso al empleo público (art. 23.2 CE). En consecuencia, el Supremo anuló la calificación dada por el tribunal de oposición y, yendo más lejos, reconoció el derecho de los recurrentes a ser considerados aprobados con la misma puntuación que los otros opositores que tenían idénticas respuestas, ordenando que siguieran en el proceso selectivo e incluso que fueran nombrados funcionarios si tras el concurso de méritos su puntuación total superaba a la del último aprobado. Es decir, el TS llegó a sustituir el resultado, no sólo a anular y retrotraer. Este es un ejemplo extraordinario de cómo la jurisdicción contenciosa, cuando dispone de todos los elementos (en este caso, las hojas de examen en el expediente), puede llegar hasta el final en aras de la tutela judicial efectiva (art. 24 CE) y dar una resolución de plena jurisdicción.

Tras varias sentencias en esa línea, se consolidó la idea de que "ya sólo queda el nombre" de la mal llamada discrecionalidad técnica[17]. El Supremo seguía hablando de ella por inercia, e incluso el legislador había cometido la imprudencia de mencionarla en normas como el art. 55 del Real Decreto Legislativo 5/2015, de 30 de octubre, por el que se aprueba el texto refundido de la Ley del Estatuto Básico del Empleado Público (donde se alude a la discrecionalidad técnica como principio rector de los procesos selectivos). Pero en la práctica, su contenido se había vaciado: los juicios de aptitud e idoneidad no son más que una especie de las valoraciones técnicas, y éstas se someten al mismo tratamiento general de control que cualquier otro acto administrativo. Se exige motivación, se permite el control de coherencia y no arbitrariedad, e incluso, cuando procede, el juez puede anular y reconocer derechos como situación jurídica individualizada (por ejemplo,

---

[17] Fernández T-R.: La discrecionalidad técnica: un viejo fantasma que se desvanece. *Revista de Administración Pública*, núm. 196, enero-abril 2015, p. 227.

aprobar un ejercicio o conceder una puntuación) si la única solución jurídicamente correcta así lo impone para restaurar la igualdad de trato.

El propio Tribunal Supremo lo ha reconocido así en sentencias posteriores. Por ejemplo, la STS de 27 de septiembre de 2016 (núm. 4226/2016, rec. 1491/2014), relativa a un concurso público de personal, además de anular la valoración inicial, se atrevió a dictaminar qué ocurría al corregirla: afirmó que "si una vez añadidos los puntos correspondientes, su calificación final igualare o superare la del último aspirante que obtuvo plaza, la estimación del recurso comprende su derecho a ser nombrado funcionario con todos los efectos desde el momento en que se produjeron para quienes fueron nombrados en su día". Estos pronunciamientos se fundamentan en el art. 31.2 de la Ley 29/1998 (LJCA), que permite al juez contencioso reconocer una situación jurídica individualizada cuando estima el recurso. Así pues, no sólo se controla la legalidad de la evaluación, sino que se puede llegar a emendar el resultado para reponer al afectado en sus derechos, algo impensable bajo la antigua doctrina.

En materia de evaluaciones académicas (sexenios, acreditaciones), la jurisprudencia ha seguido la misma tónica. A la ya mencionada STS de 3 de julio de 2015 sobre motivación de sexenios, se suma, por ejemplo, la STS de 12 de junio de 2018 (núm. 986/2018, rec. 1281/2017) donde el TS censuró la práctica de evaluar sexenios atendiendo solo al prestigio del medio de publicación de las aportaciones, sin valorar el contenido científico de éstas. Dijo claramente que tal proceder no es correcto, pues la normativa (art. 8.2 de la Orden de 1994) exige considerar tanto el contenido de la investigación como el medio de difusión. El TS anuló esa evaluación y ordenó una nueva conforme a derecho. Del mismo modo, sentencias del TS de 2016 han abordado acreditaciones: por ejemplo, la STS de 18 de enero de 2016 (rec. 3379/2014) puso de relieve que las bases de la convocatoria de acreditación son la "ley del proceso selectivo" y deben ser escrupulosamente observadas por las comisiones. Varias STS de 2015-2016 (recursos 1785/2015, 1886/2015, etc.) criticaron valoraciones que no desglosaban puntuaciones ni exponían criterios, de modo que "no es posible conocer cómo llega la Administración a la puntuación final". Esto se consideró vulneración del deber de motivación.

En conclusión, la evolución jurisprudencial del Tribunal Supremo en la última década ha desvanecido el viejo fantasma de la discrecionalidad técnica ilimitada. Se ha establecido el principio de que ningún acto evaluador está exento de control, que las valoraciones técnicas deben ser motivadas con razones y susceptibles de contraste con los hechos y los principios jurídicos, y que los tribunales pueden y deben garantizar que no haya arbitrariedad ni desviaciones. Esta tendencia jurisprudencial ha sido saludada en la doctrina como una victoria del Estado de Derecho: "juzgar a la Administración contribuye también a administrar mejor"[18], pues aumenta la confianza de los ciudadanos en que incluso los juicios técnicos serán justos y revisables.

Ahora bien, superado el dogma, quedan las cuestiones prácticas: ¿Cómo concretar ese control judicial sin incurrir en un exceso de intervencionismo? ¿Qué parámetros usar? La clave está en apoyarse en los principios jurídicos como criterios de legalidad. El TS ha reiterado que examinará si la decisión técnica respeta los principios generales del Derecho como el de defensa, igualdad, mérito, capacidad, publicidad, etc., y si no incurre en arbitrariedad (art. 9.3 CE) ni lesiona derechos fundamentales (por ejemplo, art 23.2 CE en acceso a funciones públicas). Esto enlaza con el siguiente capítulo, donde estudiaremos precisamente el papel de los principios generales del Derecho como límite y guía en el control de la discrecionalidad técnica.

---

18 Fernández T-R.: Juzgar a la Administración contribuye también a administrar mejor, *Revista española de Derecho Administrativo*, núm. 76, 1992, pp. 511-532.

IV. Los principios jurídicos como límite al poder de evaluación de las agencias

4.1. LOS PRINCIPIOS JURÍDICOS COMO FUENTE DEL DERECHO ADMINISTRATIVO

En el ordenamiento jurídico español, los principios generales del Derecho gozan de un reconocimiento expreso tanto como fuente supletoria (art. 1.4 del Código Civil) como, en el ámbito administrativo, inspiradores de la actuación de los poderes públicos (art. 103.1 CE: la Administración sirve con objetividad los intereses generales, con sometimiento pleno a la Ley y al Derecho, entendiéndose por Derecho también los principios generales). Como afirman García de Enterría y Tomás-Ramón Fernández, "todo el derecho, pero de manera muy particular el derecho administrativo, según hoy impone inequívocamente la Constitución, se constituye necesariamente sobre un sistema de principios generales del derecho que no solo suplen a las fuentes escritas, sino que son los que dan a estas todo su sentido y presiden toda su interpretación"[19], y estos principios siempre nos ayudarán a asegurar que el poder público actúa conforme a Derecho.

Los principios jurídicos son enunciados fundamentales que informan el ordenamiento y orientan la interpretación y aplicación de las normas. En materia de empleo público y evaluaciones académicas, algunos de estos principios cobran especial relevancia: igualdad, mérito y capacidad, publicidad, objetividad, imparcialidad, buena fe, confianza legítima, transparencia, y, como síntesis, la interdicción de la arbitrariedad de los poderes públicos (art. 9.3 CE). También principios procedimentales como el derecho de defensa (que en procedimientos evaluadores se traduce en derechos de alegación, a conocer resultados, a recursos).

Cuando nos referimos a los principios como límite de la discrecionalidad técnica, estamos diciendo que, aunque la Administración tenga un margen de apreciación, ese margen no puede ejercerse de modo que vulnere los principios superiores que garantizan un procedimiento justo y un resultado razonable. Dicho de otro modo, los principios actúan como parámetros de legalidad frente a posibles abusos o errores en la valoración técnica.

---

19 García de Enterría, E. y Fernández, T-R.: *Curso de Derecho Administrativo vol. II*, Aranzadi, 2017, p. 91.

En un trabajo previo analicé, precisamente, cómo los tribunales han utilizado ciertos principios para enjuiciar actos técnicos[20]. A tal efecto, identifiqué tres principios-clave en esta labor de control: defensa, igualdad e interdicción de la arbitrariedad. A continuación, se explica el contenido de cada uno en este contexto y cómo operan como límites.

- **Principio de defensa (derecho de defensa y de audiencia)**: Implica que los interesados en un procedimiento evaluador tengan oportunidad de defender sus méritos, de conocer los criterios de evaluación previamente, y de recibir una decisión motivada contra la que puedan recurrir. En términos prácticos, este principio exige la motivación de las resoluciones (como ya vimos, la obligación de motivar es esencial para que el interesado pueda rebatir o impugnar con conocimiento de causa). También comprende el derecho a acceder a la información del expediente, incluyendo en su caso informes técnicos o actas, salvo las limitaciones por protección de datos. Un procedimiento evaluador opaco que no explica las calificaciones estaría contrariando

---

20 Hernández-Guijarro, F.: "Los principios jurídicos como límite a la discrecionalidad técnica en los concursos públicos de personal", *Revista Digital de Derecho Administrativo*, núm. 25, 2021, pp. 405-425.

este principio y dejando indefenso al evaluado. La jurisprudencia conecta este principio con el art. 24 CE en su vertiente administrativa: el derecho a una tutela efectiva en vía administrativa requiere que se pueda entender y combatir la decisión. Existe numerosa jurisprudencia que afirma que "las valoraciones practicadas por la Administración (además de ser emitidas por funcionario idóneo) deben ser fundadas, lo que equivale a expresar los criterios, elementos de juicio o datos tenidos en cuenta para determinar el valor a que se refieren, pues en otro caso se produce una situación de indefensión para el sujeto pasivo que carece de medios para combatirlas"[21], enfatizando que debe haber explicaciones en la resolución administrativa.

- **Principio de igualdad**: En los procesos selectivos y evaluadores del personal, el principio de igual-

---

21 Entre esta jurisprudencia se quiere citar las recientes SSTS de fechas de 18 enero 2016 (rec. 3379/2014) y 26 de noviembre de 2015 (rec. 3369/2014. Estas sentencias hacen referencia a la motivación de las valoraciones en las comprobaciones de valor de la Administración tributaria, pero muestran es deber general de expresar los criterios de la Administración cuando emite una valoración que afecta a los intereses de los ciudadanos. Por lo que su *ratio decidendi* es extrapolable a las valoraciones de concursos públicos.

dad (art. 14 CE y 23.2 CE en acceso a funciones públicas) es fundamental. Significa que, a igual mérito, igual resultado, y que las diferencias de trato deben fundarse en diferencias objetivas en los méritos. Una expresión del principio es que las bases de la convocatoria son la ley del proceso y vinculan por igual a todos. Las comisiones no pueden inventar criterios *ad hoc* para favorecer o perjudicar a alguien (eso sería desviación de poder)[22]. Si dos solicitantes presentan méritos comparables, las puntuaciones deberían ser coherentes. Cualquier desviación exige una justificación. La jurisprudencia ha aplicado este principio para detectar tratos discriminatorios:

---

22 Desviación de poder prohibida por el art. 48.1 LPAC e impugnable por el art. 70.2 LJCA que la define como "el ejercicio de potestades administrativas para fines distintos de los fijados por el ordenamiento jurídico". Sobre la infracción por desviación de poder, la STS de 5 de abril de 2000 (rec. 5832/1994) afirmó que "la desviación de poder es una ilegalidad o irregularidad en sí misma, y puede darse el caso de que no sea acompañada por otro vicio. Esto último será poco frecuente, ya que si la Administración puede servirse aparentemente del Derecho para conseguir finalidades torcidas no será normal que además adorne su actuación con otras ilegalidades. Pero esto no obsta a que, ontológicamente, y dejando aparte dificultades de prueba, la desviación de poder pueda ser en ciertos casos el único vicio que haga a un acto administrativo disconforme a Derecho".

por ejemplo, el caso citado de 2014 en que dos opositores con exámenes iguales recibieron notas distintas, violó la igualdad ante la ley. También se invoca igualdad cuando una comisión valora con benevolencia ciertos méritos a un candidato y con severidad a otro, sin razón aparente. El principio actúa entonces como límite: la discrecionalidad técnica no puede amparar discriminaciones. En concursos de méritos, esto obliga a las comisiones a establecer baremos objetivos y aplicarlos uniformemente a todos los candidatos.

- **Principio de interdicción de la arbitrariedad**: Recogido en el art. 9.3 de la Constitución, prohíbe las decisiones administrativas infundadas o caprichosas. Una decisión es arbitraria cuando no guarda coherencia lógica con los hechos acreditados o cuando carece de una justificación razonable. En valoraciones técnicas, este principio se vulnera, por ejemplo, si la puntuación otorgada a un mérito es manifiestamente incoherente con la calidad de éste, o si las conclusiones del evaluador no se siguen de los datos objetivos. Un indicio de arbitrariedad es la discrepancia notoria respecto a evaluaciones previas o estándares comunes sin explicación (por ejemplo, si siempre se ha considerado que publicar en tal revista es mérito excelente y de repente se lo desdeña sin justificar). También el error patente no subsanado puede verse como forma de arbitrariedad. El TS ha señalado que entra dentro del control verificar si la decisión "guarda coherencia lógica" con la realidad de los méritos; de lo contrario, estará viciada por arbitrariedad. Este principio es un arma jurídica potente: cualquier acto carente de razonabilidad intrínseca es nulo o anulable. Los tribunales, incluso en épocas antiguas, admitían controlar si había "incongruencia o discordancia" grave en la valoración, y hoy con más razón.

Además de estos tres, podemos citar otros principios aplicables: el principio de mérito y capacidad (específico del art. 103.3 CE para acceso a la función pública), que obliga a que los criterios de evaluación efectivamente midan méritos relevantes y no otros factores extraños; el principio de publicidad y transparencia, que impone publicar convocatorias, criterios y resultados para escrutinio público; el principio de buena administración, que según la jurisprudencia europea y alguna nacional se va abriendo camino como derecho del ciudadano a un procedimiento imparcial, equitativo y dentro de plazo.

Estos principios jurídicos proporcionan un "marco de juridicidad" dentro del cual los tribunales pueden conocer de la valoración técnica sin usurpar la función administrativa. Actúan como un marco que limita la discrecionalidad: la Administración puede decidir dentro de ese espacio, pero las fronteras están marcadas por los principios. Por ejemplo, puede optar por valorar más la calidad que la cantidad de publicaciones (criterio discrecional), pero no puede saltarse la exigencia de motivar cómo ha aplicado ese criterio (defensa) ni valorar a unos por calidad y a otros por cantidad según le convenga (igualdad) ni dar una puntuación que contradiga abiertamente los méritos presentados (no arbitrariedad).

En suma, los principios generales son Derecho aplicable, no meras directrices éticas. Tienen fuerza vinculante. Si un acto evaluador los vulnera, incurre en ilegalidad. El TS ha afirmado de ellos que son: "la atmósfera en que se desarrolla la vida jurídica, el oxígeno que respiran las normas"[23]. Estos principios informan todo el ordenamiento jurídico (artículo 1.4 del Código Civil) y, por lo tanto, son de obligada consideración a la hora de formular las bases de la convocatoria y en su aplicación. No hay que olvidar que la Administración no está solamente sometida a la ley, sino también al

---

23 STS 1982/1992, de 8 de junio. Esta sentencia citará como antecedentes de su fundamento las sentencias de 22 de septiembre y 15 de diciembre de 1986; 19 de mayo y 21 de diciembre de 1987; 18 de julio de 1988; 23 de enero y 17 de junio de 1989; 20 de marzo y 22 de diciembre de 1990; 11 de febrero, 27 de marzo y 2 de abril de 1991; 20 de enero, 17 de marzo, 14 de abril y 12 de mayo de 1992. En idénticos términos, la STS 474/1994, de 9 de febrero.

Derecho (artículo 103.1 de la CE)4. Esta aplicación armónica concilia la necesidad de respeto a la libertad técnica con el imperio del Derecho.

4.2. APLICACIÓN PRÁCTICA DE LOS PRINCIPIOS EN EL CONTROL DE EVALUACIONES

Veamos cómo se han aplicado concretamente estos principios en casos de evaluaciones académicas o concursos, según la jurisprudencia reciente:

- **Motivación (principio de defensa)**: Ya explicamos la STS de 3 de julio de 2015 que exigió motivar las puntuaciones de sexenios. Desde entonces, ha habido un cambio: las resoluciones de CNEAI incluyen más texto explicativo. Igualmente, en acreditaciones ANECA, tras litigios, se mejoraron las notificaciones para indicar puntos fuertes y débiles del candidato. La STS 2799/2016, de 26 de mayo de 2016 (rec. 1785/2015) anuló la actuación administrativa impugnada porque "no se explica con un soporte objetivo y con una debida justificación por qué se llega a esos resultados deficitarios, pues lo que se ofrece con dicha finalidad son tan sólo juicios subjetivos y genéricos (...), ni los criterios que son seguidos para llegar a dicho resultado valorativo de déficit en las competencias"[24]. Aquí vemos invocado el principio de defensa: se anuló por falta de motivación suficiente, ya que impidió al interesado saber cómo mejorar o en qué falló. Sobre esta cuestión, la citada sentencia dejó una didáctica exposición de lo que debe entenderse por una correcta motivación en estos procesos. Aterrizada a los procedimientos de valoración académica podemos concluir que la Administración deber:

(a) establecer con anterioridad a la prueba los criterios que se siguen para apreciar los elementos que son objeto de evaluación para calificar la adecuación del candidato a la acreditación, sexenio o perfil docente de la convocatoria;

(b) detallar los concretos méritos o aportaciones que fueron ofrecidas por el aspirante y las valoraciones que fueron realizadas por la Comisión evaluadora correspondiente; y

---

24 Esta sentencia aplicó la misma solución que en las sentencias de 4 de febrero de 2014 (rec. 3886/2012) y 4 de junio de 2014 (rec. 2103/2013), recaídas en unas controversias muy similares. El TS estimó la pretensión del recurrente de anular la actuación administrativa impugnada, por no ser conforme a Derecho, con reconocimiento al recurrente del derecho de que se le tenga por declarado apto en la entrevista personal y continúen con él las subsiguientes fases del proceso selectivo.

(c) explicar por qué los méritos, aportaciones o respuestas y conductas (en caso de prueba oral) concretamente ponderadas en el aspirante, encarnan de manera positiva o negativa los criterios de evaluación que han de aplicarse.

- **Igualdad y coherencia**: Un caso ilustrativo es el ya mencionado de los opositores con exámenes idénticos (STS 31 de julio de 2014). Ahí se aplicó igualdad en su máxima expresión, reconociendo el derecho al mismo resultado a quien estaba en situación idéntica. Otros casos, aunque menos llamativos, son frecuentes: por ejemplo, aspirantes que detectan que la comisión valoró a otro candidato un mérito similar de forma más generosa. Si pueden probar esa disparidad, los tribunales pueden estimar la impugnación. La STS 1765/2016, de 13 de julio de 2016 (rec. 2036/2014) es ilustrativa: examinaba un concurso donde la puntuación otorgada a ciertos méritos no guardaba coherencia con la de otros candidatos. Por ello, esta sentencia avala y confirma la petición del recurrente en el sentido de otorgar la puntación solicitada dado que, la misma, ha sido reconocida a los ganadores del premio que alegaron idéntico mérito. En palabras del TC "el principio de igualdad ante la ley consagrado en el art. 14 de la C.E. consiste en que, ante supuestos de hecho iguales, las consecuencias jurídicas que se extraigan deben ser asimismo iguales"[25].

- **Interdicción de arbitrariedad**: La STS 4226/2016 antes citada es un ejemplo, pues consideró arbitrario no reconocer a un recurrente una puntuación, y por ende la plaza, cuando, sumados los puntos omitidos indebidamente, superaba al último seleccionado. También la STS 4549/2014, de 24 de septiembre de 2014 (rec. 917/2013), trató un caso de concurso para ocupar plazas en instituciones de una administración autonómica donde el TS halló que la comisión había atribuido puntuaciones sin base objetiva. La sentencia declaró que el tribunal no invade competencias técnicas porque "la interpretación de las bases que rijan la convocatoria de cualquier proceso selectivo de acceso a la función pública es una tarea no encuadrable en la denominada discrecionalidad técnica, pues, al ir dirigida a determinar el alcance de un elemento reglado, es una operación de calificación jurídica que está fuera del espacio de saberes técnicos específicos al que ha de quedar circunscrito el núcleo básico de la mencionada discrecionalidad

[25] STC 114/1992, de 14 de septiembre. En idéntico sentido, STC 68/1990, de 5 de abril.

técnica."[26]. En otras palabras, el TS justificó su intervención como control constitucionalmente encomendado para evitar arbitrariedades, no como valoración técnica supletoria.

- **Principio de mérito y capacidad**: Este principio se hace valer, por ejemplo, cuando se alega que la comisión introdujo criterios ajenos a los méritos. Un caso concreto: un tribunal de concurso que valorara la "simpatía" del candidato o su afinidad ideológica estaría vulnerando este principio. Aunque raramente algo así llega a ser tan explícito, a veces se denuncia que se primaron méritos no previstos en la convocatoria (lo cual también violaría el principio de legalidad de bases). En la STC 48/1998, de 2 de marzo, por ejemplo, el TC invalidó una Orden dictada por dicho Departamento convocando la provisión,

26 La sentencia confirmaba la dictada por el TSJ-A, sede en Granada, en fecha 12 de noviembre (rec. 738/2007) en la que se declaraba el "reconocimiento del derecho del actor a que le sean valorados conforme al apartado 3.2 c) de las bases los cursos "El paciente Geriátrico y su entorno Psicosocial", "Sida, Drogadicción y Alcoholismo", así como en lo referente a la valoración del Master Internacional de Psicología clínica conforme a lo expuesto en el fundamento jurídico quinto, condenando a la Administración a dicho reconocimiento con las consecuencias administrativas y en su caso económicas inherentes a la misma".

mediante sistema de libre designación, del puesto de Secretario General del Servicio Aragonés de Salud. La fundamentación de tribunal afirmó que resultaba de "difícil justificación y carece de base racional a la luz del art. 23.2 C.E., esto es, en virtud del mérito y capacidad, es la exclusión *a limine* operada para la provisión del puesto frente a un Docente ajeno al Servicio Aragonés de Salud, en el que podrían concurrir las condiciones necesarias para su desempeño". En este sentido, el TC establece que "El art. 23.2 C.E. impone la obligación de no exigir para el acceso a la función pública requisito o condición alguna que no sea referible a los indicados conceptos de mérito y capacidad, de manera que pudieran considerarse también violatorios del principio de igualdad todos aquellos que, sin esa referencia, establezcan una diferencia entre españoles"[27].

- **Transparencia y publicidad**: Un ámbito donde interviene el Consejo de Transparencia y Buen Gobierno (CTBG), como veremos en el próximo capítulo, es hacer efectivos estos principios. Si se niega a un solicitante el acceso a las actas o informes de su evaluación, se estaría coartando la transparencia. El CTBG en resoluciones

---

27 En idéntico sentido, STC 50/1986, de 26 de abril.

recientes (por ejemplo, R/0262/2023) ordenó a ANECA entregar las actas de la comisión evaluadora de un sexenio y los informes colegiados, al menos de forma anonimizada, reconociendo que prevalecía el derecho de acceso sobre ciertas reservas. Esto redunda en dar efectividad a la transparencia como principio: conocer cómo se deliberó y con qué criterios concretos.

En general, los principios funcionan de forma complementaria. Así, el principio de defensa impone motivar la resolución y explicar la puntuación; el principio de igualdad permite comprobar que se dio trato igual a situaciones iguales; el de no arbitrariedad expulsa valoraciones que carezcan de racionalidad o razonabilidad. Conjugados, garantizan al aspirante una suficiente tutela jurisdiccional sin invadir el núcleo del juicio técnico legítimo.

Por último, cabe señalar que la jurisprudencia constitucional también habla de principios como límites: los procesos selectivos los tribunales deben respetar los principios de publicidad, igualdad, mérito y capacidad, y que su incumplimiento puede vulnerar el derecho fundamental del art. 23.2 CE. En consecuencia, un acto calificador contrario a esos principios no solo es ilegal sino potencialmente inconstitucional si afecta al derecho de acceso en condiciones de igualdad.

En conclusión, los principios jurídicos actúan como el "cauce" dentro del cual discurre la valoración técnica.

Fuera de ese cauce hay infracción. Estos principios son parte del bloque de la legalidad al que está sometida la Administración. Por eso, al juzgar la discrecionalidad técnica, los tribunales se apoyan en los principios para determinar si aquella se ha excedido. Como colofón de este capítulo, podemos afirmar que la sumisión de la actividad evaluadora a los principios generales del Derecho es la garantía última de que, aun cuando la Administración decide con discrecionalidad, lo hace en términos de justicia y legalidad, y no de forma libérrima. Esto proporciona seguridad jurídica tanto a los docentes evaluados como a la propia Administración, que ve reforzada la legitimidad de sus decisiones al estar debidamente fundamentadas y alineadas con los valores jurídicos superiores.

V. Transparencia y buen gobierno en las evaluaciones: el papel del Consejo de Transparencia y Buen Gobierno

La transparencia en la actividad de las agencias evaluadoras y el buen gobierno en sus procedimientos son elementos esenciales para mantener la confianza de la comunidad académica en estos sistemas de evaluación. En España, la Ley 19/2013, de 9 de diciembre, de Transparencia, Acceso a la Información Pública y Buen Gobierno (LTAIBG) y la creación del Consejo de Transparencia y Buen Gobierno (CTBG) han abierto una vía adicional de control extrajudicial sobre la actuación de organismos como ANECA y las universidades en materia de evaluaciones.

5.1. LA RECLAMACIÓN ANTE EL CONSEJO DE TRANSPARENCIA Y BUEN GOBIERNO

El CTBG es una autoridad administrativa independiente encargada, entre otras funciones, de resolver las reclamaciones de ciudadanos contra la denegación (o falta de respuesta) a sus solicitudes de acceso a información pública[28]. En el contexto académico, profesores y aspirantes han utilizado la Ley de Transparencia para solicitar información detallada sobre sus procesos de evaluación: por ejemplo, informes de comisiones, criterios empleados, identidades de evaluadores, actas de reuniones, etc. Cuando la ANECA o la Administración deniega total o parcialmente esa información, el interesado puede presentar una reclamación ante el CTBG (art. 24 LTAIBG).

El CTBG resuelve dichas reclamaciones emitiendo Resoluciones que pueden estimar (total o parcialmente) o desestimar el acceso a la información solicitada. Estas resoluciones del CTBG son importantes por varios motivos:

- **Fuerza vinculante y agotamiento de vía**: La resolución del CTBG, conforme al art. 23.1 24 LTAIBG, pone fin a la vía administrativa (dado que sustituye a los recursos administrativos, según art. 112.2 de la Ley 39/2015). Es decir, frente a la resolución del CTBG no cabe recurso de alzada ni reposición, solo recurso contencioso-administrativo directo ante la Audiencia Nacional. Así lo

[28] Todo ello a través de la solicitud de información pública en el portal de transparencia. Para acceder: https://transparencia.gob.es/transparencia/transparencia_Home/index/Derecho-de-acceso-a-la-informacion-publica/Solicite-informacion.html (consultado el 17/08/2025)

indica expresamente el CTBG: sus resoluciones son firmes en vía administrativa y susceptibles únicamente de recurso judicial en el plazo de dos meses[29]. Por tanto, el CTBG actúa como instancia final administrativa en estos asuntos.

- **Carácter garantista**: El CTBG suele adoptar una postura favorable a la transparencia, salvo límites legales (protección de datos personales, secreto profesional, etc.). En materia de evaluaciones académicas, esto se traduce en que ha reconocido, por ejemplo, el derecho a obtener las actas de comités evaluadores, informes técnicos (aunque sea anonimizando los nombres de evaluadores si procede) y documentación relativa a criterios. Esta divulgación de información permite a los profesores escrutar cómo se llevó a cabo su evaluación y detectar posibles irregularidades o incoherencias.
- **Impulso al buen gobierno**: Más allá del acceso a información, el CTBG también supervisa el cumplimiento de las obligaciones de buen gobierno (Título II LTAIBG) por parte de altos cargos y administraciones. En contextos evaluadores, ha habido resoluciones que tocan tangencialmente temas de

---

29 La competencia de la Audiencia Nacional viene establecida en la DA cuarta, apartado 5, de la Ley 29/1998, de 13 de julio, Reguladora de la Jurisdicción Contencioso-administrativa.

integridad en la actuación de las agencias, aunque lo más frecuente es que entre a valorar plazos y procedimientos desde la óptica de la transparencia.

Veamos un ejemplo concreto que ilustra la actuación del CTBG: la Resolución R/0262/2023, de 18 de abril de 2023 (Expte. R-0849-2022). En este caso, un profesor cuyo sexenio de investigación (convocatoria 2021) había sido evaluado solicitó a ANECA diversa información relativa a su evaluación: (a) copias de los informes individuales emitidos por cada miembro del comité asesor sobre sus publicaciones, con identificación de dichos evaluadores; (b) la rúbrica o formulario de evaluación aplicado, o en su defecto explicación de cómo se ponderan los criterios para obtener la puntuación numérica, citando expresamente la necesidad de saber cómo se aplica el criterio de valorar contenido además del medio; (c) copia de los informes colegiados finales del comité para todos los solicitantes del mismo campo (Derecho Financiero y Tributario) en esa convocatoria; y (d) copias de todas las actas de las reuniones de la comisión asesora del campo de Derecho en esa convocatoria. En subsidiario, pedía al menos los informes positivos sin identificar profesores.

La ANECA, tras prorrogar el plazo, respondió concediendo parcialmente: entregó el "Informe de ANECA" (que se supone un informe global) y las 4 actas de reuniones de la comisión asesora de Derecho. Pero denegó el resto: es decir, los informes realizados de forma individual y por pares por los miembros del Comité y no facilitó los informes emitidos por el Comité asesor asumidos por la CNEAI sobre las evaluaciones de todos y cada uno de los profesores/as presentados a dicha convocatoria del área solicitada (alegando protección de datos o que no existían como tal esos documentos), ni la plantilla de evaluación (aduciendo que no hay un documento formal tipo rúbrica), ni los informes de los demás candidatos de forma completa.

El profesor reclamó al CTBG. En su resolución, el CTBG analizó punto por punto. Sobre los informes individuales de evaluadores (petición a), concluyó que si existen deben darse, pero si no existen (porque el comité entrega solo un informe colegiado conjunto), no se puede crear información nueva. Sobre la rúbrica (petición b), es interesante que el reclamante citara la STS 986/2018: esto implicaba que quería saber cómo cumplieron con esa exigencia de valorar contenido y medio. Si ANECA no tiene un documento formal, el CTBG tal vez consideró que la pregunta sobre "de qué manera se aplican los criterios" equivalía a pedir explicaciones –lo cual no es exactamente derecho de acceso a documentos, sino petición de aclaración, que podría exceder la LTAIBG. Es probable que este apartado se denegara por no haber documento existente más allá de los ya publicados criterios.

El CTBG sí estimó la reclamación en lo relativo al apartado c): es decir, ordenó que se entregasen las copias de los informes emitidos por el Comité asesor asumidos por la CNEAI sobre las evaluaciones de todos y cada uno de los profesores presentados en el área de Derecho Financiero y Tributario. Esto es importante: implica que, aun concerniendo a terceros (otros solicitantes), se reconoció el derecho a esa información porque se podía dar cumplimiento sin violar datos personales. De hecho, el CTBG apreció que entregar esos informes supone una injerencia leve en la protección de datos que cede ante el interés público en la transparencia del proceso evaluador. Por tanto, ordenó a ANECA que en 10 días hábiles proporcionara esos informes al reclamante[30].

5.2. LA CONTRIBUCIÓN DEL CTBG A ADMINISTRAR MEJOR EN LOS PROCEDIMIENTOS DE EVALUACIÓN ACADÉMICA

Varias son las formas:

- **Fomento de la rendición de cuentas**: Saber que las actas e informes pueden salir a la luz incentiva a las comisiones a ser más rigurosas y coherentes, pues su trabajo podría ser examinado externamente. Por ejemplo, si una comisión

---

30 En idéntico sentido: la Resolución R/0458/2023, de 9 de junio de 2023 (Expte. R-0956-2022).

supiera que sus actas secretas jamás verán la luz, quizás sería más laxa en justificarse; pero al ser susceptibles de publicidad vía transparencia, tienden a cuidar la justificación.

- **Corrección de desviaciones procedimentales**: El CTBG ha llegado a pronunciarse sobre retrasos en contestar peticiones, etc. Por ejemplo, en otra resolución (R/0730/2024, publicada en julio de 2024) contra ANECA, el CTBG amonestó que la información no se proporcionó en plazo afirmando que "es obligado recordar a la Administración que la observancia del plazo máximo de contestación es un elemento esencial del contenido del derecho constitucional de acceso a la información pública". Esto subraya la importancia de cumplir plazos (buen funcionamiento administrativo).
- **Clarificación de derechos de los evaluados**: Al establecer qué información tienen derecho a recibir, el CTBG facilita a los profesores su relación con ANECA. Por ejemplo, tras la resolución mencionada, un profesor sabe que puede pedir y obtener las actas de la comisión de su campo. Esto mejora la confianza en el sistema, al sentir el proceso menos opaco.
- **Mejora de la transparencia activa**: Aunque el CTBG resuelve casos individuales, sus criterios impulsan a las instituciones a publicar más información

proactivamente para evitar reclamos. ANECA, por ejemplo, publica en su web ciertas estadísticas o pautas de puntuación para satisfacer el afán de transparencia y reducir solicitudes individualizadas.

Cabe señalar que LTAIBG también tiene una especie de estatuto del buen gobierno (Título II LTAIBG) cuyo cumplimiento supervisa, pero se refiere más a obligaciones éticas de altos cargos[31]. En ANECA, los evaluadores no son "altos cargos" a efectos de esa ley, así que no aplica directamente salvo en lo relativo al Código Ético de ANECA mencionado (que fue aprobado por su Consejo Rector).

En suma, el CTBG se erige como garante externo de que los procesos de evaluación académica se conduzcan con transparencia y respetando derechos de los evaluados a saber cómo y por qué se decidió sobre sus méritos. Su papel complementa al control judicial: mientras el juez puede anular una resolución injusta, el CTBG puede hacer que salgan a la luz los criterios

31 La exposición de motivos dice de éste que "otorga rango de Ley a los principios éticos y de actuación que deben regir la labor de los miembros del Gobierno y altos cargos y asimilados de la Administración del Estado, de las Comunidades Autónomas y de las Entidades Locales. Igualmente, se clarifica y refuerza el régimen sancionador que les resulta de aplicación, en consonancia con la responsabilidad a la que están sujetos".

de la evaluación, lo que a su vez puede servir de base para impugnaciones mejor fundamentadas o incluso disuadir conductas irregulares.

Podríamos afirmar que la existencia del CTBG aporta "claridad y comprensibilidad" a unos procedimientos tradicionalmente bastante cerrados. Si bien no juzga el acierto de la evaluación (no entra a decir si la nota fue justa o no), asegura que el proceso sea transparente y que la Administración cumpla con sus deberes de respuesta e información. Esto redunda en buen gobierno, entendido como la actuación administrativa conforme a principios de eficiencia, responsabilidad y servicio al ciudadano.

Un ejemplo final para ilustrar: imaginemos que un profesor sospecha que su evaluación negativa fue por un cierto sesgo de la comisión. A través del CTBG obtiene las actas y ve, por ejemplo, que en la reunión se comentaron criterios no previstos en la convocatoria o incluso se identifica un posible conflicto de interés. Esa información le permitiría acudir a los tribunales con pruebas concretas de desviación de poder. Sin el CTBG, quizá nunca hubiera podido conseguir esas actas para demostrarlo. Así, la transparencia sirve de antesala a la tutela judicial efectiva e incluso puede evitar litigios si la explicación que sale a la luz convence al reclamante de que no hubo arbitrariedad.

En definitiva, el CTBG refuerza la idea de responsabilidad en los procedimientos evaluadores: la ANECA y demás agencias saben que su actuación puede ser escrutada y por tanto deben observar escrupulosamente los principios de buen gobierno (legalidad, lealtad institucional, calidad en la información, etc.). Esto cierra el círculo de garantías extrajudiciales que junto con las judiciales configuran un sistema más sólido de control. En el siguiente capítulo, completaremos el panorama viendo los medios de impugnación formales que tiene un docente para reaccionar frente a una evaluación desfavorable o irregular, es decir, los recursos administrativos y contencioso-administrativos.

VI. Medios de impugnación de las evaluaciones: recursos administrativos y jurisdiccionales

Cuando un profesor o investigador universitario está disconforme con el resultado de un procedimiento de evaluación académica (ya sea la denegación de un sexenio, una acreditación no obtenida, la no selección en un concurso, etc.), el ordenamiento jurídico le ofrece diversos medios de impugnación para solicitar la revisión de esa decisión. Estos medios se escalonan en dos niveles principales: recursos administrativos ante la propia Administración (o entes vinculados) y recursos jurisdiccionales ante los tribunales contencioso-administrativos. Adicionalmente, existen algunas vías especiales como el recurso extraordinario de revisión y las potestades de revisión de oficio, pero nos centraremos en las ordinarias.

A continuación, se detallan los tipos de recursos más relevantes en este contexto, con indicación de plazos, autoridades competentes y peculiaridades.

6.1. RECURSOS ADMINISTRATIVOS: ALZADA Y REPOSICIÓN

En la vía administrativa, los dos recursos típicos son el recurso de alzada y el recurso potestativo de reposición, regulados en los arts. 121 y 123 de la LPAC.

• **Recurso de alzada**: procede contra los actos administrativos que no ponen fin a la vía administrativa, es decir, aquellos dictados por órganos que tienen superior jerárquico. En nuestras materias, por ejemplo, las resoluciones iniciales de la CNEAI denegando sexenios no son definitivas, dado que existe un superior jerárquico (el Director de ANECA). Por tanto, cabe alzada[32]. Tam-

---

[32] A tal efecto, el art. 20.3 del Real Decreto 1112/2015, de 11 de diciembre, por el que se aprueba el Estatuto del Organismo Autónomo Agencia Nacional de Evaluación de la Calidad y Acreditación (EANECA), determina esta competencia, que se ejerce previo informe de los doce académicos e investigadores miembros de la CNEAI (art. 20.1 del EANECA). Dicho esto, hay que tener presente que el artículo 19.3 del EANECA establece que la CNEAI está formado: por el director de la ANECA, que la preside; por un Vicepresidente, que será la persona titular de la Dirección General de Política Universitaria del Ministerio de Educación, Cultura y Deporte; por doce académicos e investigadores, nombrados por el titular de la Secretaría General de Educación, Formación profesional y Universidades; y por un representante designado por cada una de las Comunidades Autónomas con competencia en

bién las resoluciones de comisiones de acreditación son elevadas al Director de ANECA, lo cual en principio implica que esa resolución del Director sí agota la vía administrativa (sin perjuicio del régimen de reclamaciones que la normativa reguladora de los diferentes procedimientos pueda establecer). Otro ejemplo: en concursos universitarios, la propuesta del tribunal de concurso se eleva al Rector, cuya resolución (nombramiento o desestimación) suele agotar la vía administrativa en el ámbito universitario; por lo que en este caso cabría reposición.

El recurso de alzada debe presentarse en el plazo de un mes desde la notificación del acto que se impugna (o tres meses si es por silencio administrativo). Debe dirigirse al órgano superior jerárquico competente. En el caso de

---

materia de universidades y/o investigación, y rango de, al menos, Director General.

En consecuencia, y según acreditada doctrina, el órgano que informa sobre el recurso de alzada y el que lo resuelve han formado parte del Pleno de la CNEAI, que fue quien adoptó la resolución impugnada. De hecho, ésta está firmada por la Directora de la ANECA. Por consiguiente, lo dispuesto en el artículo 20 del EANECA no tiene buen acomodo con el artículo 121.1 de la LPAC, que exige que el órgano competente para la alzada sea el superior jerárquico del que dictó el acto administrativo que se impugna. Es más, la propia naturaleza de la alzada exige que se trate de un órgano distinto y superior, puesto que, en caso contrario, estaremos ante una reposición o, como en este caso, una pseudoreposición.

sexenios de investigación y transferencia, vimos que el Estatuto de ANECA asigna la resolución de las alzadas al Director de ANECA. De hecho, ANECA debe informar en sus notificaciones la autoridad ante la cual se interpone el recurso y el plazo. Una vez interpuesto, el órgano tiene tres meses para resolver y notificar. Si no lo hace en ese tiempo, se entiende desestimado por silencio (art. 122.2 LPAC). La resolución del recurso de alzada (ya sea expresa o presunta) pone fin a la vía administrativa (art. 122.3 LPAC), quedando expedita la vía judicial.

Un caso peculiar es la impugnación de la convocatoria. En este caso no se recurre la resolución derivada del procedimiento llevado a cabo (acreditación, sexenio o plaza universitaria) sino el propio concurso o convocación. En estos casos hay que atender al órgano convocante para determinar la competencia del revisor. Por ejemplo, una impugnación de la resolución de la Secretaría General de Universidades, por la que se aprueba la convocatoria de evaluación de la actividad investigadora, dado que no agota la vía administrativa, cabría interponer recurso de alzada ante la persona titular del Ministerio de Ciencia, Innovación y Universidades en el plazo de un mes a contar desde el día siguiente a la fecha de su publicación, de acuerdo con lo dispuesto en los artículos 121 y 122 de la LPAC.

• **Recurso potestativo de reposición**: procede contra los actos que ponen fin a la vía administrativa, con carácter previo al recurso contencioso si el interesado prefiere una última oportunidad en sede administrativa. En materia de evaluaciones académicas, ejemplos de actos que ponen fin a la vía serían: la resolución de un recurso de alzada frente a una denegación de sexenio del Director de la ANECA (no cabe recurso de reposición *ex* art.122.3 de la LPAC), la resolución del Consejo de Universidades sobre acreditación, o la resolución de un Rector adjudicando plaza en concurso (porque no tener superior jerárquico). El recurso de reposición es potestativo: el interesado puede elegir entre interponerlo (y entonces ha de esperar su resolución o silencio antes de ir a la vía judicial) o ir directamente al contencioso-administrativo sin pasar por la reposición.

Si opta por la reposición, el plazo de interposición del recurso es de un mes desde la notificación del acto administrativo (si es por silencio desestimatorio, los meses que indique el procedimiento correspondiente). Se interpone ante el mismo órgano que dictó el acto (por eso se dice que se "repone" ante él). El órgano tiene también un mes para resolver (art. 124.2 LPAC). Si no resuelve en ese plazo, se entiende desestimado por silencio y entonces corre el plazo para la interposición del recurso contencioso desde el día siguiente a ese mes[33].

---

33 El art. 46 de la LJCA establece que "El plazo para interponer el recurso contencioso-administrativo será de dos meses contados desde el día siguiente al de la publicación

En la práctica, en evaluaciones de ANECA, rara vez se utiliza la reposición, ya que suele haber habido un recurso de alzada previo. La reposición es típica en casos sin alzada, como la resolución del Consejo de Universidades. También en concursos de plazas: al ser acto del Rector, cabe reposición ante éste en un mes, o bien ir directo al contencioso en dos meses. Muchos candidatos optan por el contencioso directamente, excepto cuando se trata de un vicio muy claro o errores de clara apreciación.

Resumiendo, los plazos clave son: 1 mes para alzada o reposición desde notificación; 3 meses para resolver alzada; 1 mes para resolver reposición. Y siempre, 2 meses para ir a la jurisdicción contenciosa desde que la vía administrativa se agota por acto expreso, o seis meses desde que se produzca el acto presunto -silencio negativo-[34].

---

de la disposición impugnada o al de la notificación o publicación del acto que ponga fin a la vía administrativa, si fuera expreso. Si no lo fuera, el plazo será de seis meses y se contará, para el solicitante y otros posibles interesados, a partir del día siguiente a aquél en que, de acuerdo con su normativa específica, se produzca el acto presunto".

[34] Determinada la jurisdicción contencioso-administrativa, el órgano competente para conocer del asunto (Juzgado de lo CA o Sala de lo CA del TSJ) vendrá establecida en los preceptos 8 a 12 de la LJCA.

Un caso peculiar es la reclamación ante el Consejo de Universidades contra resoluciones de acreditación[35]. Jurídicamente, no es un "alzada" en sentido estricto porque el Consejo de Universidades no es jerárquicamente superior a ANECA (sino un órgano colegiado con función revisora). Pero la normativa le da esa función. La reclamación debe presentarse en un mes desde la notificación de la no acreditación, y se resuelve en un plazo de 6 meses por las comisiones de reclamación. La resolución de la Comisión de Reclamaciones del Consejo de Universidades agota la vía administrativa, sin que quepa alzada posterior. Contra la resolución del Consejo se recurre directamente ante la Jurisdicción Contencioso-administrativa.

---

35 El artículo 25 del RD 678/2023, establece que, frente a las resoluciones sobre la solicitud de acreditación, se podrá presentar, en el plazo de un mes a partir de su recepción y a través de la sede electrónica del Ministerio de Universidades, una reclamación ante el Consejo de Universidades que será valorada y, en su caso, admitida a trámite y resuelta por la Comisión de Reclamaciones.

6.2. LA JURISDICCIÓN CONTENCIOSO-ADMINISTRATIVA: DEMANDAS ANTE LOS TRIBUNALES

Agotada (o prescindida, en caso de ir directo[36]) la vía administrativa, el interesado puede acudir a la jurisdicción contencioso-administrativa para obtener tutela judicial. Esta es la vía definitiva de control, donde un

---

36 Puede darse la situación en la que, debido al tipo de convocatoria, se ofrezca un recurso administrativo o jurisdiccional a elección del interesado. Por ejemplo, la Resolución de 6 de febrero 2025, por la que se convoca un concurso para el acceso a plazas de profesorado permanente laboral de la Universitat Politècnica de València, fija como pie de recurso: "contra la presente convocatoria y sus bases, que ponen fin a la vía administrativa, la persona interesada podrá interponer recurso contencioso administrativo ante el juzgado de lo contencioso-administrativo correspondiente, en el plazo de dos meses contados desde el día siguiente al de la publicación de esta convocatoria en el DOGV. Asimismo, con carácter potestativo, se podrá interponer un recurso de reposición, en el plazo de un mes desde el día siguiente al de la publicación, ante el mismo órgano que ha dictado la resolución. Todo ello de conformidad con lo establecido en los artículos 112, 114, 115, 123 y 124 de la Ley 39/2015, de 1 de octubre, del procedimiento administrativo común de las administraciones públicas y los artículos 8, 14.2 y 46 de la Ley 29/1998, de 13 de julio, reguladora de la jurisdicción contencioso-administrativa".

tribunal independiente e imparcial revisará la legalidad de la actuación administrativa. La norma que regula este proceso es la Ley 29/1998, de 13 de julio, reguladora de la Jurisdicción Contencioso-administrativa (LJCA).

En el caso de evaluaciones académicas, ¿ante qué órgano judicial se interpone la demanda? La respuesta dependerá de qué Administración dictó el acto y de su ámbito territorial, atendiendo a los artículos 8 a 12 de la LJCA que determinan la competencia objetiva para conocer de los asuntos pertenecientes a la jurisdicción contencioso-administrativa.

- De conformidad con estos preceptos, la Audiencia Nacional conoce, según el artículo 11, de los actos de Ministros y Secretarios de Estado (art. 11.1.a y b), determinados órganos centrales específicos (Defensa, Banco de España, CNMV, FROB, CNMC), y de los Tribunales Administrativos Centrales (contratación, TEAC en determinados casos). No incluye expresamente a organismos públicos estatales de nivel inferior, aunque su ámbito sea nacional, si no tienen rango de Ministro o Secretario de Estado.

Por otra parte, y en relación con los TSJ, el artículo 10.1.i) dispone expresamente: "los actos y resoluciones dictados por órganos de la Administración General del Estado cuya competencia se extienda a todo el territorio nacional y cuyo nivel orgánico sea inferior al de Ministro o Secretario de Estado en materias de personal, propiedades especiales y expropiación forzosa". Por lo tanto, este es un precepto clave, porque ANECA y CNEAI dictan actos administrativos en materia de personal universitario (funcionarios docentes y contratados), al valorar los requisitos para la acreditación, los sexenios o el reconocimiento de méritos. Aunque su competencia sea estatal, su nivel orgánico es inferior al de Ministro o Secretario de Estado.

Tanto ANECA como la CNEAI, son organismos públicos adscritos al Ministerio de Ciencia, Innovación y Universidades, con competencia en todo el territorio nacional y dictan actos administrativos en ejercicio de potestades públicas delegadas del Estado (evaluación, acreditación, sexenios, etc.). Por lo tanto, no son Ministros ni Secretarios de Estado, ni órganos autonómicos o periféricos, sino órganos administrativos de nivel inferior, aunque de ámbito estatal[37].

En la redacción actual de la LJCA, la competencia para conocer de los recursos contencioso-administrativos interpuestos contra actos de la ANECA o de la CNEAI corresponde a las Salas de lo Contencioso-Administrativo

37 La Audiencia Nacional conoció durante años de estos recursos. Sin embargo, tras la reforma de la LJCA, la jurisprudencia ha ido consolidando que los actos de la ANECA y CNEAI, al no proceder de Ministro ni Secretario de Estado, y versar sobre materia de personal, son competencia de las Salas de lo Contencioso-Administrativo de los TSJ.

de los Tribunales Superiores de Justicia (TSJ), en única instancia, conforme al artículo 10.1.i) LJCA, por tratarse de actos dictados por órganos de la Administración General del Estado, con ámbito estatal, nivel inferior al de Ministro o Secretario de Estado, y en materia de personal (evaluación y acreditación docente e investigadora).

• Si se trata de un acto de una Comunidad Autónoma (por ejemplo, evaluación de un sexenio autonómico de investigación, o decisión de una agencia autonómica de calidad) o de una universidad pública (que es Administración Pública de carácter territorial), la competencia corresponde a los tribunales de la respectiva comunidad. Por lo general, los Juzgados de lo Contencioso-Administrativo conocen de asuntos de personal de universidades (cuando son cuestiones individuales), aunque si es una actuación general podría ser TSJ. En los nombramientos de funcionaria de carrera del Cuerpo de Maestros, por ejemplo, cuando son nombrados por orden ministerial era competente la Audiencia Nacional. Por lo que respecta a los nombramientos a cuerpos de TU y CU, los concursos los resuelve la propia universidad (Rector), así que típicamente se demandan ante el Juzgado de lo Contencioso-Administrativo correspondiente, en aplicación de los artículos 8 y 14 de la LJCA. Ejemplo: un concursante impugna la adjudicación de plaza de profesor TU en la Universidad X de Valencia; su demanda será conocida por el Juzgado de lo Contencioso-Administrativo de Valencia que por turno corresponda.

• Si se impugna una resolución del CTBG, la LJCA dispone que las cuestiones de acceso a información pública de órganos nacionales las vea la Audiencia Nacional[38]. Así pues, si un profesor o ANECA misma impugna una resolución del CTBG (recordemos que tanto el reclamante como la Administración obligada podrían recurrirla judicialmente), conocerá la Audiencia Nacional.

Procedimiento: en el procedimiento abreviado[39], el recurso contencioso se interpone mediante demanda en el plazo de dos meses desde la notificación de la resolución administrativa final (o desde que el recurso administrativo se entienda desestimado por silencio). En casos de silencio, el plazo es de seis meses desde el vencimiento del plazo para resolver. En el procedimiento ordinario[40], el recurso se inicia mediante interposición (escrito reducido a citar la disposición, acto, inactividad o actuación constitutiva de vía de hecho que se impugne y a solicitar que se tenga por interpuesto el recurso). Tras la recepción del expediente administrativo en los términos del párrafo siguiente, se debe formular la demanda. Ésta debe exponer los hechos,

---

38 A tal efecto, la DA 4ª.5 de la LJCA establece que serán recurribles: "los actos y disposiciones dictados por (...) Consejo de Transparencia y Buen Gobierno, ante la Sala de lo Contencioso- Administrativo de la Audiencia Nacional".

39 Previsto en el art. 78 de la LJCA.

40 Previsto en el art. 45 de la LJCA.

fundamentos jurídicos y la pretensión (lo que se pide: normalmente la anulación del acto y, en su caso, el reconocimiento de un derecho: por ejemplo, que se reconozca el sexenio, que se otorgue la acreditación, que se retrotraiga el concurso para reevaluar, etc.).

Durante el proceso judicial, la Administración demandada deberá remitir el expediente administrativo completo al tribunal[41]. Esto permite al juez y al demandante examinar toda la documentación: la solicitud, los méritos presentados, los informes de los evaluadores, las actas de las reuniones, etc. Si la Administración omitiera documentos importantes (por ejemplo, las evaluaciones internas), el recurrente puede solicitar su aportación[42]. De esta manera, en sede judicial sale a relucir mucha información que quizás el interesado

---

41 A estos efectos se entenderá que el expediente administrativo está integrado por los documentos y demás actuaciones que lo conforman. Los expedientes tendrán formato electrónico y se formarán mediante la agregación ordenada de cuantos documentos, pruebas, dictámenes, informes, acuerdos, notificaciones y demás diligencias deban integrarlos, así como un índice numerado de todos los documentos que contenga cuando se remita. Asimismo, deberá constar en el expediente copia electrónica certificada de la resolución adoptada (art. 70.2 de la LPAC).

42 A tal efecto, el art. 55 de la LJCA establece que si las partes estimasen que el expediente administrativo no está completo, podrán solicitar, dentro del plazo para formular la

no tenía. Por eso, a veces los abogados de profesores prefieren ir al contencioso directamente para obtener el expediente completo, que revela posibles fallos de motivación o comparaciones con terceros.

El juzgado o tribunal contencioso-administrativo realizará el enjuiciamiento siguiendo los criterios que hemos explicado en capítulos anteriores: verificará la motivación, la no arbitrariedad, el respeto a bases y criterios, etc., sin sustituir la valoración técnica salvo casos extremos de error evidente o infracción de principios generales del Derecho que lo justifiquen. Puede requerir prueba pericial si es necesario (por ejemplo, nombrar peritos para valorar si un artículo tenía determinada calidad, aunque es poco frecuente). No obstante, en contadas ocasiones se ha visto peritos académicos declarando sobre la equivalencia de méritos, etc., sobre todo en concursos muy técnicos.

Tras el proceso (alegaciones, prueba, vista si la hay), el tribunal dictará sentencia. Las posibles resultas son:

- Desestimación del recurso: si considera que la evaluación fue conforme a derecho. Por ejemplo, que la puntuación dada está motivada y es razonable; o que, aunque el recurrente discrepe, no se aprecia arbitrariedad. En tal caso, el

---

demanda o la contestación, que se reclamen los antecedentes para completarlo.

órgano jurisdiccional desestima el recurso y, en consecuencia, se confirma el acto impugnado.

- Estimación (total o parcial) y anulación del acto: si halla vicios. Lo más habitual es estimar y anular la resolución denegatoria, ordenando retrotraer actuaciones para que se emita una nueva conforme a los criterios correctos señalados en la sentencia. Así ocurrió, por ejemplo, en la Sentencia de la Audiencia Nacional de 23 de julio de 2024 (rec. 244/2019), que anuló la resolución de la Presidenta del Consejo de Universidades de 20 de diciembre de 2018, que desestimaba el recurso de alzada interpuesto frente a la resolución desestimatoria de la Comisión de Reclamaciones del Consejo de Universidades en el procedimiento de acreditación para el acceso al cuerpo docente de catedráticos de universidad y ordenó "la retroacción de actuaciones a la vía administrativa para que, por la ANECA, con transparencia, se puntúen sus méritos, motivando la puntuación asignada por cada uno de los apartados y subapartados previstos en los Principios y Orientaciones para la Aplicación de los Criterios de Evaluación, en los términos exigidos por la jurisprudencia del Tribunal Supremo"[43].

---

[43] Sobre la motivación de los criterios de evaluación en este tipo de procedimientos, la STS de 31 de mayo de 2021 (rec. 6002/2019) estableció que "cuando las disposiciones regu-

Igualmente, en las SSTS citadas en este trabajo se anulaban las decisiones de las comisiones.

- Reconocimiento de derechos o sustitución del criterio técnico: En situaciones excepcionales, si el tribunal entiende que al anular debe además reconocer una situación jurídica individualizada (art. 31.2 LJCA), puede ir más allá. Como vimos, el TS ha llegado a reconocer el derecho de un opositor a ser declarado aprobado y nombrado. En evaluaciones de sexenios o acreditaciones, un tribunal podría –si lo pide el recurrente y se dan los presupuestos– declarar, por ejemplo, "el derecho del demandante a obtener el sexenio solicitado" o "a ser acreditado". Sin embargo, los tribunales contencioso-administrativos inferiores suelen devolver el expediente para nueva evaluación. Solo en casos donde todo es claro (por

---

ladoras del mismo requieren, como en este caso, condensar el juicio sobre los méritos de los participantes en el procedimiento en términos numéricos y es contestada la puntuación asignada, el órgano evaluador ha de ofrecer las razones que le han llevado a asignar la adjudicada y no cualquier otra. Otras sentencias sobre la cuestión son las SSTS n.º 1765/2016, de 13 de julio (rec. 2036/2014) (y las citadas en ella), n.º 400/2020, de 13 de mayo (rec. 312/2018), n.º 412/2018, de 14 de marzo (rec. 2334/2015), n.º 177/2018, de 7 de febrero (rec. 3024/2015), n.º 1004/2017 (rec. 2569/2015).

ejemplo, un error matemático que corregido daría aprobado o un resultado injustificado) se atreven a reconocer directamente el derecho[44].

- Condena en costas: Si el recurso es estimado, normalmente no se imponen costas a la Administración. Si es desestimado, se imponen costas al recurrente, salvo que aprecie y así se razone, que el caso presentaba serias dudas de hecho o de derecho (art. 139.1 de la LJCA). En el caso de imposición de costas, normalmente se limita la cuantía.

Una vez hay sentencia en la instancia (AN, TSJ o Juzgado), cabe dos escenarios:

- Recurso de apelación: es el recurso ordinario que procede contra las sentencias dictadas en primera instancia por Juzgados de lo Contencioso-Administrativo. La apelación se dirige al Tribunal Superior de Justicia de la Comunidad Autónoma respectiva (Sala de lo Contencioso). No todas las sentencias de Juzgado son apelables: la LJCA en su art. 81.1 exceptúa las de cuantía no superior a 30.000 €.

---

44 En este sentido, la SAN de 14 de mayo de 2018 (rec. 478/2017), reconociendo el derecho de la actora a obtener del Ministerio de Educación, Cultura y Deporte, la acreditación para el Cuerpo de Catedráticos de Universidad porque "la nueva valoración de la actividad investigadora no puede dar lugar a una puntuación inferior a la primera".

Sin embargo, en materia de evaluación académica, las pretensiones suelen incluir derechos no susceptibles de valoración económica (como una acreditación o un premio de investigación científica) y, por lo tanto, se reputan de cuantía indeterminada y cabe la apelación.

La apelación se interpone en el plazo de 15 días desde la notificación de la sentencia, ante el mismo Juzgado que dictó la sentencia. Se interpone mediante escrito razonado, que debe contener las alegaciones de hecho y de derecho en que se funda la impugnación de la sentencia. No es suficiente un mero anuncio; debe presentarse con los motivos impugnatorios (argumentando los errores o infracciones de la sentencia)[45].

- Recurso de casación ante el Tribunal Supremo, si se cumplen los requisitos (interés casacional objetivo, etc.). De hecho, muchas de las sentencias del TS que hemos comentado provienen de casaciones contra sentencias de TSJ/AN. Por ejemplo, la STS de 31 de mayo de 2021 (rec. 6002/2019) anuló la SAN de 30 de mayo de 2019 (re. 598/2017) y ordenaba "retrotraer las actuaciones para que por dicha Comisión de

45 Para más información sobre los trámites del recurso de apelación ver art. 85 de la LJCA.

> Acreditación, con transparencia, se puntúen sus méritos, motivando la puntuación asignada por cada uno de los apartados y subapartados previstos en los Principios Orientadores de la Actuación de las Comisiones de Evaluación". Por tanto, hoy es más probable que un TSJ o la AN se atengan a esa jurisprudencia (y a otras también comentadas en este trabajo) a la hora de fallar, sabiendo que si no lo hacen podría haber casación. En todo caso, hay que tener muy presente que la casación no es una "segunda o tercera instancia" automática: sólo procede en esta materia cuando exista interés casacional objetivo para la formación de jurisprudencia.

En paralelo a la vía jurisdiccional principal, mencionar que existe la posibilidad de solicitar a la propia Administración la revisión de oficio de sus actos nulos (art. 106 LPAC) o el recursos extraordinario de revisión (art. 125 LPAC) si aparecen circunstancias excepcionales (por ejemplo, error de hecho, que aparezcan documentos, etc.).

Un aspecto práctico: la interposición de un recurso contencioso no suspende automáticamente la ejecución del acto impugnado (que habría que articular por el art. 129 de la LJCA). En evaluaciones, esto significa que, si me deniegan un sexenio y recurro, no me lo van a pagar durante el pleito; si me excluyen de un concurso y recurro, no se paraliza la toma de posesión del ganador. Sin embargo, el recurrente puede pedir medida cautelar de suspensión. Por ejemplo, en concursos a veces se pide suspender el nombramiento del candidato seleccionado hasta que se resuelva el pleito (para evitar hechos consumados). Los tribunales deciden cautelares previa valoración circunstanciada de todos los intereses en conflicto: en plazas, a veces acceden a suspender si hay indicios fuertes de irregularidad; en sexenios o acreditaciones, suele no haber medida cautelar porque el perjuicio económico es reparable (se pagan retroactivamente si hay vencimiento) y no hay urgencia (simplemente se sigue sin sexenio hasta el resultado).

6.3. LA JURISDICCIÓN CONSTITUCIONAL: EL RECURSO DE AMPARO

Finalmente, una última vía de impugnación a mencionar es el recurso de amparo constitucional ante el Tribunal Constitucional[46]. Este sólo cabe una vez

---

46 Tal y como establece el art. 41 de la Ley Orgánica 2/1979, de 3 de octubre, del Tribunal Constitucional (LOTC), "los derechos y libertades reconocidos en los artículos catorce a veintinueve de la Constitución serán susceptibles de amparo constitucional, en los casos y formas que esta Ley establece, sin perjuicio de su tutela general encomendada a los Tribunales de Justicia".

agotados los recursos judiciales ordinarios, y alegando violación de derechos fundamentales. En materia de evaluaciones, cabría invocar, por ejemplo, el derecho a la igualdad (14 CE) o el de acceso a cargos públicos en condiciones de igualdad (23.2 CE), o el derecho a la tutela judicial efectiva (24 CE) si se estima que la sentencia contenciosa no protegió adecuadamente esos derechos. Históricamente, los amparos en materia de oposiciones han sido pocos y con resultados dispares: el TC suele reiterar que no es otra instancia más y solo entra si aprecia claramente una vulneración constitucional autónoma (por ejemplo, trato discriminatorio palmario no reparado judicialmente). La STC 34/1995 ya analizada denegó el amparo en un caso de discrecionalidad técnica, avalando la decisión del TS. En todo caso, la puerta del amparo siempre está abierta, aunque su admisión es excepcional[47]. Sin embargo,

---

[47] En todo caso, la STC 107/2014, de 26 de junio, *obiter dicta* afirmó que "la previsión de ese procedimiento de acreditación que haga posible la selección de este profesorado de forma homogénea y en condiciones de igualdad en todo el territorio nacional, viene, además, a permitir el reconocimiento del derecho a la movilidad de estos profesionales, haciendo factible el ejercicio de su actividad en condiciones de igualdad en cualquiera de las universidades españolas. Y no cabe duda de que el derecho a la movilidad forma parte integrante de la libertad académica, en cuanto permite a estos profesionales disponer de una legítima opción para

la STC 134/1996, de 22 julio, establece que el art. 14 de la CE impone "el deber de dispensar un mismo tratamiento a quienes se encuentran en situaciones jurídicas iguales, con prohibición de toda desigualdad que, desde el punto de vista de la finalidad de la norma cuestionada, carezca de justificación objetiva y razonable o resulte desproporcionada en relación con dicha justificación"[48]. Lo que sería directamente aplicable a un concurso donde, el mismo mérito en varios candidatos, fuera evaluado de forma distinta.

---

acceder al desempeño de sus funciones en cualquiera de las universidades españolas" y que "la evaluación y acreditación del profesorado contratado universitario por parte de la ANECA, con efectos en todo el territorio nacional, constituye una medida dirigida a establecer las condiciones básicas que garanticen la igualdad en el acceso y en el ejercicio profesional de este profesorado y su libertad de circulación en todo el territorio", reconociendo las condiciones de igualdad, movilidad laboral y la libertad académica como materias de interés constitucional.

48 Esta sentencia hace referencia a la aplicación del art. 14 de la CE al Legislador, pero resulta aplicable a todos los poderes públicos ex art. 9.1 de misma. En el mismo sentido en cuanto al deber de respetar la igualdad ante o en la Ley (en el caso de impugnar las bases de la convocatoria), las SSTC 76/1990, de 26 de abril; 214/1994, de 14 de julio; 117/1998, de 2 de junio; 46/1999, de 22 de marzo; y 212/2001, de 29 de octubre.

Resumiendo este capítulo: cualquier profesor disconforme con su evaluación tiene un camino jurídico que recorrer. Primero, agotar los recursos administrativos: alzada ante el superior jerárquico, o reposición ante el mismo órgano que dictó la resolución, donde la propia Administración puede corregir errores o infracciones al ordenamiento jurídico (también hemos visto la posibilidad obtener información a través del portal de transparencia y el CTBG). Y segundo, si no se obtiene la resolución esperada, acudir a los tribunales contenciosos, quienes examinarán con criterios jurídicos la actuación administrativa. Estos medios de impugnación, junto con la labor del Portal de Transparencia y el CTBG ya analizada, completan el arsenal de garantías para controlar los procedimientos de evaluación académica. No son pocos los casos en que, gracias a un recurso bien fundamentado, un profesor ha conseguido que se reevalúe su caso y se le reconozca un mérito antes negado; baste recordar la sentencia que obligó a CNEAI a valorar el contenido de las aportaciones, lo que seguramente benefició al recurrente y a otros en similar situación. También hemos visto casos en los que la infracción de los principios generales de Derecho llevó al TS a reconocer el derecho a una situación jurídica individualizada consistente en el otorgando la acreditación.

Como punto final, conviene insistir en que la existencia misma de estos medios de impugnación ejerce un efecto preventivo: sabiendo las comisiones evaluadoras que sus decisiones pueden ser recurridas y eventualmente anuladas, tienden a ser más cuidadosas y ajustadas a Derecho. El control *ex post*, por tanto, incentiva el buen hacer *ex ante*, o como diría el profesor Tomás-Ramón Fernández; juzgar a la Administración contribuye también a administrar mejor.

VII. Jurisprudencia reciente sobre el control jurisdiccional de la discrecionalidad técnica

En este capítulo final, realizaremos una valoración crítica de la jurisprudencia más reciente del Tribunal Supremo (TS) y de los Tribunales Superiores de Justicia (TSJ) en materia de control de la discrecionalidad técnica en evaluaciones académicas y procesos selectivos. Ya hemos ido mencionando a lo largo del texto varias sentencias clave y sus aportes. Aquí sistematizaremos esos desarrollos jurisprudenciales, citando los datos esenciales de las sentencias (número, fecha, órgano, fundamento jurídico relevante) y, cuando sea posible, reproduciendo fragmentos de sus argumentaciones tal como aparecen en fuentes oficiales (BOE, CENDOJ, Repertorios).

Veremos cómo los tribunales, especialmente el **Tribunal Supremo**, han construido gradualmente una doctrina garante, en sintonía con la doctrina científica, para someter los juicios técnicos a las exigencias de motivación, razonabilidad, igualdad y demás principios. Asimismo, examinaremos algunas sentencias de tribunales autonómicos (TSJ) recientes que han aplicado estos criterios a casos concretos, a veces confirmando decisiones administrativas y otras corrigiéndolas.

7.1. TRIBUNAL SUPREMO: SENTENCIAS DESTACADAS (2016–2024)

Sentencia del Tribunal Supremo (Sala de lo Contencioso-Administrativo, Sección Séptima). Número de Sentencia y fecha: Sentencia 1765/2016, de 13 de julio de 2016.

Hechos relevantes: Un aspirante a una plaza de la Subescala de Secretaría-Intervención impugnó la resolución que le excluyó del proceso selectivo convocado en 2007. Alegó falta de motivación en la corrección de uno de los ejercicios de la oposición (calificado con una puntuación numérica sin explicación), así como diversas irregularidades formales en el desarrollo de la prueba. En instancias inferiores se confirmó la actuación administrativa, considerando válida la discrecionalidad técnica del tribunal evaluador.

Fundamentos jurídicos: El Tribunal Supremo examinó el alcance de la discrecionalidad técnica en los procesos selectivos y enfatizó la obligación de motivar las decisiones evaluadoras. Señaló que, si bien los órganos de selección gozan de un margen de apreciación en la evaluación de méritos, dicha discrecionalidad no exime de aportar una justificación razonable de las calificaciones. En este caso, el alto tribunal concluyó que la evaluación impugnada había sido arbitraria por falta de motivación, dado que el tribunal calificador se limitó a asignar una nota numérica al ejercicio sin explicar los criterios aplicados ni responder a las alegaciones del aspirante. Esto vulneraba los principios de transparencia y objetividad que rigen el acceso a la función pública.

Fallo: Se estima el recurso de casación, anulando la resolución administrativa de exclusión por falta de motivación suficiente. El Tribunal Supremo ordena que el órgano evaluador emita una nueva corrección debidamente motivada el derecho a que se le tenga por superado con la calificación de treinta y un puntos el segundo ejercicio de la fase de oposición, a que se siga respecto de él el proceso selectivo y a que si, tras la fase de concurso, la puntuación total que le correspondiera superase la del último aspirante que obtuvo plaza, se proceda a su nombramiento como funcionario. No se imponen costas al recurrente.

Jurisprudencia relacionada: Esta sentencia reitera la doctrina de que los tribunales pueden controlar la razonabilidad y motivación de las decisiones técnicas (por ejemplo, la necesidad de motivar las puntuaciones en oposiciones, ya apuntada en jurisprudencia anterior del propio TS). Ha sido citada posteriormente como referencia en materia de control de la discrecionalidad técnica y motivación en evaluaciones de concursos públicos.

Repercusiones prácticas: El pronunciamiento refuerza el deber de motivación en los procesos selectivos académicos y de la Administración en general. En la práctica, las comisiones evaluadoras y tribunales de concurso deben justificar sus puntuaciones y decisiones para evitar su anulación judicial, especialmente cuando se trata de criterios subjetivos o técnicos. Se afianza así el control jurisdiccional sobre la arbitrariedad, garantizando procesos de evaluación más transparentes y objetivos, y el reconocimiento del derecho a una situación jurídica individualizada, es decir, declarando la existencia de un determinado estatus jurídico a favor de su persona recurrente.

Sentencia de Tribunal Supremo (Sala de lo Contencioso-Administrativo, Sección Cuarta). Número de Sentencia y fecha: Sentencia 1659/2017, de 2 de noviembre de 2017.

Hechos relevantes: Una funcionaria de las Cortes Generales impugnó las resoluciones de la Mesa del Congreso de los Diputados que adjudicaron a otra candidata la plaza de Jefa de Servicio en el Departamento de Archivo, dentro de un concurso de méritos. La recurrente, que aspiraba a dicha plaza, denunció la falta de motivación en la valoración del mérito de "adecuación al puesto" otorgada a la candidata seleccionada, así como diversas irregularidades en la puntuación de otros méritos (experiencia, perfeccionamiento e idiomas). En instancia, la Audiencia Nacional desestimó el recurso contencioso-administrativo, avalando la legalidad del proceso selectivo.

Fundamentos jurídicos: El Tribunal Supremo analizó si la discrecionalidad técnica de la Administración parlamentaria había sido ejercida con respeto a los principios de igualdad y objetividad. Constató un déficit de motivación en la evaluación del mérito principal ("adecuación al puesto"), ya que la puntuación otorgada a las candidatas no iba acompañada de criterios o explicaciones que permitiesen entender por qué la aspirante seleccionada fue considerada superior en ese apartado. El alto tribunal recordó que la obligación de motivar alcanza también a las valoraciones técnicas en concursos internos, especialmente cuando resultan decisivas para el resultado. En sus fundamentos, la Sala invocó su propia jurisprudencia (Sentencia de 2 de diciembre de 2013 rec. 752/2011, entre otras) donde se anuló una adjudicación de plaza por falta de motivación en méritos similares.

Fallo: Se estima el recurso contencioso-administrativo de la aspirante. El Tribunal Supremo declara la nulidad de las resoluciones de la Mesa del Congreso que adjudicaron la plaza, al haberse vulnerado el derecho de la recurrente a una evaluación motivada y no arbitraria. Como consecuencia, se anula el resultado del concurso impugnado, sin hacer pronunciamiento expreso sobre costas.

Jurisprudencia relacionada: La sentencia se alinea con precedentes del propio Tribunal Supremo que exigen motivación en la valoración de méritos discrecionales. Asimismo, constituye un referente que posteriormente han seguido otros órganos jurisdiccionales en materia de valoración de méritos académicos (por ejemplo, sexenios y acreditaciones).

Repercusiones prácticas: Este fallo tuvo un impacto destacado en el ámbito de los procesos selectivos en instituciones públicas, subrayando que incluso en entes como las Cortes Generales (con cierto autoorganización) rige el principio de motivación. En la práctica, tras esta sentencia, las comisiones de valoración de concursos de méritos han extremado el cuidado en documentar las razones de sus puntuaciones en cada apartado, para garantizar la transparencia y facilitar el eventual control judicial.

Sentencia del Tribunal Supremo (Sala de lo Contencioso-Administrativo, Sección Cuarta). Número de Sentencia y fecha: Sentencia 986/2018, de 12 de junio de 2018.

Hechos relevantes: Una profesora universitaria recurrió la denegación de su solicitud de evaluación positiva (sexenio) de investigación correspondiente al período 2008-2013. La Comisión Nacional Evaluadora de la Actividad Investigadora (CNEAI) había calificado negativamente dicho tramo de investigación, decisión confirmada posteriormente en vía administrativa (Secretaría de Estado de Educación) y por el Tribunal Superior de Justicia de Madrid. La demandante sostenía que su trabajo investigador había sido evaluado de forma insuficiente, pues la CNEAI se limitó a considerar el prestigio de las revistas donde publicó, sin valorar en profundidad el contenido ni la calidad intrínseca de sus aportaciones científicas.

Fundamentos jurídicos: El Tribunal Supremo centró su análisis en el deber de motivación de las evaluaciones científicas y en la correcta aplicación de los criterios de evaluación. La Sala subrayó que, conforme al principio de buena administración, la CNEAI debe no solo aplicar baremos cuantitativos (índices de impacto de revistas, etc.), sino también emitir un juicio cualitativo explícito sobre las contribuciones del investigador. En este caso, el TS encontró que la resolución impugnada adolecía de motivación, al limitarse a mencionar indicadores bibliométricos sin explicar por qué las publicaciones de la solicitante no alcanzaban la calidad requerida. Este defecto de motivación, según la sentencia, vulnera el derecho del solicitante a conocer las razones de la evaluación negativa y a que se consideren todos los aspectos relevantes de sus méritos.

Fallo: El Tribunal Supremo estima el recurso de casación interpuesto por la profesora. Casó la sentencia del TSJ desfavorable y anuló las resoluciones administrativas que denegaron el sexenio. Como efecto de la estimación, ordenó retrotraer el procedimiento al momento anterior a la evaluación de la CNEAI, para que este órgano emita una nueva resolución debidamente motivada y considerando de forma expresa el contenido de las aportaciones científicas de la solicitante.

Jurisprudencia relacionada: Esta sentencia supuso un hito jurisprudencial en materia de evaluación investigadora. Retoma criterios ya apuntados por el TS en fallos anteriores y a su vez ha sido citada en numerosas resoluciones posteriores. En particular, tribunales y autores han destacado cómo este fallo del 2018 respaldó la necesidad de valorar el fondo de las publicaciones científicas, influencia que sin embargo inicialmente no se reflejó plenamente en la normativa de sexenios vigente.

Repercusiones prácticas: En el ámbito práctico, la sentencia llevó a un aumento en las exigencias de motivación cualitativa por parte de la CNEAI. Aunque las convocatorias posteriores mantuvieron los criterios formales, esta jurisprudencia dio argumentos a numerosos investigadores para impugnar evaluaciones negativas basadas únicamente en métricas cuantitativas. La Administración se ha visto forzada a revisar sus informes de evaluación, incluyendo apreciaciones más detalladas sobre la relevancia y novedad de los trabajos presentados, so pena de incurrir en arbitrariedad.

Sentencia del Tribunal Supremo (Sala de lo Contencioso-Administrativo, Sección Cuarta). Número de Sentencia y fecha: Sentencia 761/2021, de 31 de mayo de 2021.

Hechos relevantes: Un profesor universitario impugnó la resolución del Consejo de Universidades que denegó su acreditación para el acceso al cuerpo de Catedráticos de Universidad en el área de Ciencias Sociales y Jurídicas. El solicitante alegaba que la evaluación realizada por la comisión de acreditación carecía de transparencia, ya que no se le asignó puntuación individual a ciertos méritos ni se motivó suficientemente la valoración global, lo que a su entender impedía conocer las razones de la denegación. Tanto la Comisión de Reclamaciones universitaria como posteriormente la Audiencia Nacional confirmaron la denegación de la acreditación, entendiendo que la evaluación se había hecho conforme a los criterios establecidos.

Fundamentos jurídicos: El Tribunal Supremo examinó la legalidad del procedimiento de acreditación a la luz de los Principios y Orientaciones para la Aplicación de los Criterios de Evaluación (POACE) vigentes. La cuestión jurídica se centraba en si era exigible desglosar y motivar la puntuación de cada apartado de méritos académico-científicos. El TS concluyó que la puntuación que la Comisión de Acreditación de Catedráticos de Universidad debe asignar a los méritos del solicitante ha de atribuirse por cada uno de los subapartados en que se dividen los apartados previstos en los POACE establecidos para el acceso a los Cuerpos de Catedráticos de Universidad, motivándose tal asignación a cada apartado y subapartado.

Fallo: Se estima el recurso de casación del profesor solicitante, anulando la sentencia de la Audiencia Nacional y la resolución administrativa que denegó la acreditación. El Tribunal Supremo ordenó retrotraer las actuaciones para que por dicha Comisión de Acreditación, con transparencia, se puntúen sus méritos, motivando la puntuación asignada por cada uno de los apartados y subapartados previstos en los POACE. Sin costas.

Jurisprudencia relacionada: Esta sentencia, junto con otras de 2021, conforma un cuerpo doctrinal del Supremo en materia de acreditaciones académicas. En especial, guarda relación con posteriores fallos de junio de 2021 (recursos de otros candidatos) que igualmente reafirman la limitada intervención judicial en las evaluaciones de acreditación, coherente con la exigencia de motivación cualitativa destacada en la jurisprudencia de los sexenios de investigación.

Repercusiones prácticas: El pronunciamiento proporcionó seguridad jurídica a los procesos de acreditación del profesorado universitario, al clarificar que se exige una puntuación pormenorizada de cada mérito y dejó sentado que las comisiones deben ofrecer alguna explicación sobre la valoración por apartados y subapartado, lo que ha llevado a que, paulatinamente, los informes de denegación sean algo más descriptivos en cuanto a los puntos débiles del candidato.

Sentencia del Tribunal Supremo (Sala de lo Contencioso-Administrativo, Sección Cuarta). Número de Sentencia y fecha: Sentencia 915/2021, de 24 de junio de 2021.

Hechos relevantes: Un profesor universitario solicitó la acreditación para Profesor Contratado Doctor ante la ANECA. Su solicitud fue denegada mediante resolución del Secretario General de Universidades, confirmada en alzada por la Secretaría de Estado de Universidades. El interesado interpuso recurso contencioso-administrativo ante el TSJ de Madrid, alegando falta de motivación y ausencia de desglose de puntuaciones conforme a los criterios establecidos en los POACE.

El TSJ desestimó el recurso, considerando que la ANECA había actuado con suficiente motivación y que los POACE carecían de carácter vinculante. Contra esta sentencia, el interesado interpuso recurso de casación, admitido por el Tribunal Supremo para determinar el valor jurídico de los POACE y la exigencia de motivación y desglose en las puntuaciones otorgadas por las comisiones evaluadoras.

Fundamentos jurídicos: El Tribunal Supremo centró la cuestión casacional en dos puntos esenciales. Naturaleza jurídica de los POACE: determina si los "Principios y Orientaciones" de la ANECA son vinculantes y, en consecuencia, obligan a las comisiones de evaluación a seguir sus pautas;

Exigencia de motivación y desglose: analiza si las puntuaciones numéricas otorgadas en cada criterio (docencia, investigación, formación, otros méritos) deben desglosarse por subapartados con motivación expresa.

El Alto Tribunal declara que los POACE, aunque formalmente no sean normas jurídicas, vinculan a la propia ANECA por el principio de autovinculación administrativa: si la Administración adopta pautas para ejercer una potestad discrecional, debe aplicarlas o justificar expresamente su no aplicación. Por tanto, la comisión evaluadora no puede ignorar los POACE y no motivar su decisión. Asimismo, reitera su doctrina consolidada sobre la motivación en los procesos selectivos: cuando el acto administrativo consiste en una puntuación numérica, la Administración debe explicar las razones que conducen a esa cifra, especialmente si el interesado cuestiona su suficiencia. No basta con apreciaciones genéricas o valoraciones globales ("actividad mejorable", "resultados insuficientes"), sino que se requiere una motivación individualizada y comprensible.

La Sala advierte que la ausencia de desglose impide verificar si el órgano ha aplicado correctamente los criterios, y vulnera los principios de transparencia y objetividad del artículo 103 CE y de la Ley Orgánica 6/2001, de Universidades. Además, destaca que la falta de acta o de identificación de los evaluadores contradice los deberes de publicidad y control propios de un procedimiento administrativo reglado.

Fallo: El Tribunal Supremo estima el recurso de casación y anula tanto la sentencia del TSJ de Madrid como las resoluciones administrativas impugnadas. Ordena la retroacción de actuaciones, disponiendo que la ANECA vuelva a valorar la solicitud, asignando puntuaciones motivadas y desglosadas por cada apartado y subapartado previsto en los POACE. No se reconoce directamente la acreditación solicitada (por respeto a la discrecionalidad técnica), pero se impone la obligación de reevaluar con transparencia y motivación suficiente.

Jurisprudencia relacionada: La sentencia se apoya en una línea jurisprudencial consolidada sobre la motivación en procesos evaluadores y selectivos. Estas resoluciones establecen que las puntuaciones numéricas deben ser razonadas, y que las comisiones evaluadoras no pueden refugiarse en juicios genéricos o subjetivos. La autovinculación a guías internas (como los POACE) impone un deber reforzado de coherencia y motivación. Además, la sentencia reafirma la doctrina de que los órganos técnicos deben actuar con objetividad y transparencia, y que su discrecionalidad no es inmune al control judicial, especialmente cuando no se respetan los propios criterios publicados.

Repercusiones prácticas: Esta sentencia tiene una trascendencia decisiva en el control judicial de las evaluaciones de ANECA y otros órganos de acreditación: Establece que los POACE son de obligado seguimiento o, al menos, requieren justificación expresa de su inaplicación. Refuerza la exigencia de motivación individualizada y desglosada por subcriterios, impidiendo resoluciones globales y genéricas. Consolida el principio de transparencia administrativa y la necesidad de documentar el procedimiento (actas, composición, informes). Además, limita la discrecionalidad técnica al exigir razones verificables, permitiendo el control judicial pleno sobre la suficiencia de la motivación, aunque sin sustituir el juicio técnico.

En la práctica, esta doctrina obliga a la ANECA y a las comisiones de acreditación a reformar sus modelos de informe, explicitando la puntuación y los motivos de cada subcriterio. También brinda a los solicitantes un marco sólido para impugnar evaluaciones inmotivadas. Se trata, en suma, de una sentencia clave en la evolución del derecho a una evaluación académica objetiva y motivada, que refuerza la tutela judicial efectiva frente a valoraciones opacas o discrecionales.

Sentencia del Tribunal Supremo (Sala de lo Contencioso-Administrativo, Sección Cuarta). Número de Sentencia y fecha: Sentencia 945/2021, de 30 de junio de 2021.

Hechos relevantes: Un profesor universitario solicitó la acreditación para el acceso al Cuerpo de Catedráticos de Universidad ante la Agencia Nacional de Evaluación de la Calidad y Acreditación (ANECA). La solicitud fue denegada por la Comisión de Acreditación de Catedráticos de Ciencias Sociales y Jurídicas, y posteriormente confirmada por la Comisión de Reclamaciones del Consejo de Universidades y por el Secretario del Consejo de Universidades.

El interesado interpuso recurso contencioso-administrativo ante la Audiencia Nacional, alegando falta de motivación y ausencia de desglose de las puntuaciones en los distintos criterios y subcriterios establecidos en los POACE. La Audiencia Nacional desestimó su recurso, considerando suficiente la motivación y no vinculantes los POACE. El profesor recurrió en casación ante el Tribunal Supremo, que admitió el recurso para aclarar si los POACE son vinculantes y si las puntuaciones deben desglosarse por apartados y subapartados con motivación suficiente.

Fundamentos jurídicos: como en el caso anterior, el Tribunal Supremo analiza dos cuestiones principales: Naturaleza jurídica de los POACE. No son normas reglamentarias, pero sí vinculan a la ANECA por el principio de autovinculación administrativa. Y la exigencia de motivación y desglose: la Sala reitera su doctrina consolidada según la cual, cuando una decisión administrativa se traduce en puntuaciones numéricas, la Administración debe explicar las razones concretas que conducen a cada calificación. No basta una valoración global ni juicios genéricos. La motivación debe ser comprensible, individualizada y desglosada por cada apartado y subapartado del baremo aplicable, conforme a los POACE. La ausencia de desglose impide al interesado conocer los motivos del resultado, y al juez controlar la corrección del juicio técnico. Además, reitera que el Tribunal advierte que el proceso de evaluación debe documentarse: han de constar las actas, los miembros de la comisión y los expertos intervinientes, conforme al artículo 103 CE y a la Ley Orgánica 6/2001 de Universidades.

Por tanto, se concluye que la actuación de la ANECA vulneró su deber de motivación suficiente, incurriendo en defecto procedimental que exige retrotraer el procedimiento.

Fallo: El Tribunal Supremo estima el recurso de casación y anula la sentencia de la Audiencia Nacional, así como las resoluciones administrativas impugnadas. Dispone la retroacción de actuaciones para que la ANECA vuelva a evaluar la solicitud, aplicando los POACE y motivando de forma desglosada las puntuaciones otorgadas a cada apartado y subapartado. Cada parte asume sus costas, conforme al artículo 93.4 LJCA.

Jurisprudencia relacionada: La sentencia consolida una línea jurisprudencial que incluye, entre otras: STS 761/2021, de 3 de junio; STS 1765/2016, de 13 de julio; STS 400/2020, de 13 de mayo; STS 412/2018, de 14 de marzo; STS 2334/2015, STS 177/2018, de 7 de febrero. Todas ellas reiteran que las puntuaciones numéricas deben ir acompañadas de motivaciones explícitas, y que los órganos técnicos no pueden refugiarse en fórmulas genéricas.

Repercusiones prácticas: Esta sentencia continúa con la doctrina sobre el control jurisdiccional de la discrecionalidad técnica en los procesos de acreditación universitaria. En definitiva, la STS 2606/2021 consolida un modelo de evaluación académica transparente, motivada y verificable, sometido a control judicial, que refuerza los principios de igualdad, mérito y capacidad y acota los márgenes de discrecionalidad técnica en la actuación de la ANECA.

Sentencia del Tribunal Supremo (Sala de lo Contencioso-Administrativo, Sección Cuarta). Número de Sentencia y fecha: Sentencia 897/2024, de 23 de mayo de 2024[49].

Hechos relevantes: El Abogado del Estado, en representación del Ministerio de Ciencia e Innovación, interpuso recurso de casación contra una sentencia del Tribunal Superior de Justicia de Canarias (Las Palmas) que había estimado el recurso de un profesor y reconocido su derecho al cobro de un sexenio de investigación por transferencia del conocimiento. El TSJ había anulado la denegación del sexenio dictada por la CNEAI y, dada la prueba pericial presentada por el profesor, llegó a concederle directamente el tramo reclamado. La Administración recurría alegando que el tribunal autonómico se extralimitó al no devolver el asunto para una nueva evaluación de la comisión académica.

Fundamentos jurídicos: El Tribunal Supremo abordó la tensión entre dos posibles respuestas ante una evaluación con motivación insuficiente: la retroacción del procedi-

---

49 Sobre esta STS ver comentario en: https://idibe.org/tribuna/control-la-discrecionalidad-tecnica-las-evaluaciones-la-comision-nacional-evaluadora-la-actividad-evaluadora-cneai-sts-897-2024-del-23-mayo-rec-no-2399-2022/ (consultado 30/09/25)

miento para que la Administración vuelva a valorar, o la estimación directa de la pretensión del solicitante en sede judicial. La Sala señaló que la regla general en casos de discrecionalidad técnica ha sido ordenar la retroacción (para que el órgano especializado motive correctamente su decisión). Sin embargo, estableció una importante matización: cuando la resolución denegatoria carece de motivación suficiente y, además, en el proceso judicial la Administración no rebate la prueba pericial aportada por el recurrente que acredita la calidad de sus méritos, el tribunal no está obligado a devolver el expediente, pudiendo resolver en favor del reclamante. En el caso concreto, la comisión no justificó la negativa y el Abogado del Estado no impugnó eficazmente el informe pericial que concluía que el profesor cumplía los criterios del sexenio. Por ello, el TS avaló la decisión del TSJ de reconocer el complemento al demandante, al estimar que reabrir la fase administrativa solo retrasaría indebidamente el reconocimiento de un derecho ya demostrado.

Fallo: Se desestima el recurso de casación de la Administración. El Tribunal Supremo confirma en todos sus términos la sentencia del TSJ de Canarias que había concedido el sexenio al profesor, declarando no ajustada a Derecho la denegación original de la CNEAI. Cada parte cargará con sus costas procesales.

Jurisprudencia relacionada: Esta sentencia supone una evolución respecto de la doctrina tradicional. Se apoya en criterios ya esbozados en decisiones inmediatas anteriores de la Sala y marca un precedente en el sentido de permitir al juez reconocer directamente el derecho reclamado en materia de evaluación investigadora cuando concurran falta de motivación administrativa y prueba pericial concluyente no contradicha. Se diferencia así de fallos de 2018 y 2021, donde se optó por la retroacción, configurando un criterio más protector del evaluado en supuestos similares.

Repercusiones prácticas: El pronunciamiento tiene un gran impacto práctico en el ámbito de los sexenios y evaluaciones académicas: envía un mensaje claro a las agencias evaluadoras (ANECA/CNEAI) sobre la necesidad de combatir las impugnaciones con fundamentos sólidos durante el proceso judicial. De lo contrario, el solicitante podría obtener judicialmente el reconocimiento de su derecho sin esperar a una nueva evaluación administrativa. En definitiva, esta jurisprudencia refuerza los incentivos para que la Administración motive adecuadamente desde el inicio y defienda técnicamente sus criterios en juicio, bajo pena de que los tribunales otorguen directamente al académico el mérito o complemento reclamado.

En conjunto, el Tribunal Supremo ha cristalizado una doctrina que podemos sintetizar en: Motivación reforzada, control de coherencia, respeto a las bases/criterios, y posibilidad de subsanar o completar el fallo administrativo por parte del juez. Esto no significa que siempre se dé la razón al recurrente; el TS también ha rechazado recursos cuando consideró que la Administración actuó correctamente dentro de su margen. Pero lo ha hecho dando explicaciones robustas. Así, hay STS que desestiman, pero razonan: "la comisión motivó suficientemente, aplicó las bases con objetividad y la diferencia de puntuación está justificada por X; por tanto, no hay arbitrariedad ni indefensión". Esa es la debida valoración académica: un acto técnico bien fundamentado que, en dicho caso, será confirmado.

7.2. TRIBUNALES SUPERIORES DE JUSTICIA: EJEMPLOS DE APLICACIÓN

Los TSJ han recogido el guante del Supremo y, en general, aplican sus pautas. Citaré algunos casos recientes a modo ilustrativo:

Sentencia del Tribunal Superior de Justicia de la Comunidad Valenciana (Sala de lo Contencioso-Administrativo, Sección Segunda). Número de Sentencia y fecha: Sentencia 468/2014, de 7 de julio de 2014.

Hechos relevantes: Una profesora de universidad recurrió la resolución de la Secretaría General de Universidades que confirmó la denegación de un sexenio de investigación solicitado por ella, correspondiente al período 2000-2006. La CNEAI había evaluado negativamente el tramo, y la profesora alegaba que dicha evaluación se basó únicamente en criterios formales (índices de las revistas de sus publicaciones) sin valorar la calidad científica intrínseca de sus trabajos. Era uno de los primeros casos en los que un tribunal autonómico examinaba el fondo de una evaluación de sexenios.

Fundamentos jurídicos: La Sala destacó el espíritu de la normativa de retribuciones del profesorado universitario (Real Decreto 1086/1989 y Órdenes de desarrollo), que pretende incentivar la actividad investigadora relevante. Subrayó que la CNEAI, al evaluar, debe considerar no solo indicadores cuantitativos sino el aporte al progreso del conocimiento y la calidad de las aportaciones científicas del solicitante. Tras analizar el expediente, el TSJ apreció que la denegación del sexenio no contenía una motivación detallada: se limitaba a indicar que la solicitante no alcanzaba el mínimo requerido, sin explicar por qué sus publicaciones (algunas con buena acogida en su campo) no eran suficientes. Esta falta de explicación se tuvo por contraria al deber de motivación y a los principios de objetividad y transparencia.

Fallo: El Tribunal Superior de Justicia estimó el recurso de la profesora. Anuló la resolución administrativa impugnada y, en consecuencia, el acuerdo de la CNEAI de 2011 que denegó el sexenio. La Sala ordenó retrotraer la actuación para que la CNEAI realizase una nueva evaluación motivada, teniendo en cuenta los criterios cualitativos omitidos en la primera valoración. No se impusieron costas.

Jurisprudencia relacionada: Esta sentencia pionera hizo eco de algunas consideraciones luego recogidas por el Tribunal Supremo en 2018. Se relaciona con la jurisprudencia de otros TSJ que poco después afrontaron casos similares (p. ej., TSJ Comunidad Valenciana Sent. 437/2015), creando una tendencia garantista en control de evaluaciones investigadoras antes de la intervención del Supremo.

Repercusiones prácticas: El fallo supuso un aviso a la CNEAI sobre sus procedimientos: a raíz de esta sentencia y otras análogas, la comisión comenzó a incluir informes más descriptivos en sus denegaciones, intentando argumentar la falta de relevancia o impacto de las publicaciones. Asimismo, animó a otros investigadores a recurrir decisiones negativas, sabiendo que los tribunales autonómicos estaban dispuestos a exigir una valoración en profundidad de sus méritos y a no tolerar resoluciones meramente formales.

Sentencia del Tribunal Superior de Justicia de la Comunidad Valenciana (Sala de lo Contencioso-Administrativo, Sección Segunda). Número de Sentencia y fecha: Sentencia 437/2015, de 19 de junio de 2015.

Hechos relevantes: Una docente universitaria impugnó la desestimación de su solicitud de reconocimiento de un sexenio de investigación del período 2002-2010. Tras la denegación inicial por la CNEAI y su confirmación en vía administrativa, la profesora alegó que no se habían considerado adecuadamente sus aportaciones científicas, algunas de las cuales tenían reconocido prestigio, y que la resolución negativa carecía de una motivación suficiente más allá de citar los índices de impacto. El contexto era similar al de otros casos en la Comunidad Valenciana, con varios profesores recurriendo evaluaciones negativas de la convocatoria de 2011.

Fundamentos jurídicos: El TSJ reiteró lo expuesto en la Sentencia 468/2014 (caso de la misma Comunidad). Afirmó que la evaluación de la actividad investigadora debe hacerse conforme a los principios y criterios establecidos, pero sin olvidar el análisis del contenido y relevancia de las aportaciones. En la resolución impugnada se observó una fundamentación genérica: se listaban las publicaciones y su puntuación bibliométrica, pero no se explicaba por qué, en conjunto, el trabajo de la solicitante no alcanzaba la calificación positiva. La Sala consideró que esto vulneraba el derecho de la interesada a una resolución motivada. Además, valoró que la profesora aportó informes externos que avalaban la calidad de su investigación, los cuales aparentemente no habían sido refutados ni tenidos en cuenta por la comisión.

Fallo: El TSJ estimó el recurso contencioso-administrativo. Anuló la resolución del Secretario General de Universidades de 2012 que denegaba el sexenio y, por extensión, la decisión original de la CNEAI. Ordenó retrotraer las actuaciones para que se emitiera una nueva resolución debidamente motivada, evaluando de forma expresa la calidad de las aportaciones de la profesora y considerando los elementos aportados en su defensa.

Jurisprudencia relacionada: Esta sentencia sigue la estela de la dictada en 2014 por la misma Sala, consolidando en el ámbito valenciano una línea favorable al control de la motivación en los sexenios. Está en sintonía con posteriores pronunciamientos de otros TSJ (como los de Canarias en 2016) y fue posteriormente citada en los recursos de casación que llevaron al hito del TS de 2018 sobre esta materia.

Repercusiones prácticas: Al igual que la precedente, reforzó las garantías de los solicitantes de sexenios, evidenciando que las meras referencias a criterios cuantitativos no bastan. En la práctica, la Administración universitaria comenzó a ser más cautelosa: se introdujeron mejoras en las notificaciones de denegación (por ejemplo, indicando de forma sumaria cuáles aportaciones se consideraban insuficientes), aunque sin abandonar el uso predominante de métricas. Para los académicos, supuso un respaldo en sus reivindicaciones de mayor reconocimiento de la calidad frente a la cantidad.

Sentencia del Tribunal Superior de Justicia de Canarias (Sala de lo Contencioso-Administrativo, Sección Segunda, sede en Santa Cruz de Tenerife). Número de Sentencia y fecha: Sentencia 12/2016, de 29 de febrero de 2016.

Hechos relevantes: Una profesora titular de Filología de la Universidad de La Laguna recurrió la desestimación de su solicitud de sexenio de investigación (convocatoria 2013) correspondiente al período 1999-2008. La CNEAI había valorado negativamente sus méritos investigadores. La docente alegó que, tras interponer recurso de alzada, la Administración se limitó a reiterar la denegación sin responder adecuadamente a sus alegaciones ni detallar los motivos de la negativa, a pesar de que ella aportó informes que avalaban la calidad de sus trabajos.

Fundamentos jurídicos: El TSJ analizó el caso en el contexto normativo de los sexenios, recordando que el objetivo de estos incentivos es premiar la calidad investigadora. Constató que tras el recurso de alzada, la Secretaría General Técnica (por delegación) amplió escasamente la motivación inicial, permaneciendo en consideraciones muy genéricas y estandarizadas sobre la producción científica de la solicitante. La Sala entendió que esa respuesta no satisfacía el deber de motivación, pues "no explica a la recurrente las razones por las que su trabajo ha sido calificado negativamente", limitándose a frases de carácter general aplicables a cualquier caso. Recalcó que la motivación de actos discrecionales técnicos exige un mínimo de concreción: no basta señalar que las aportaciones "no alcanzan el nivel", sino que debe darse alguna indicación de cuáles son las deficiencias apreciadas.

Fallo: El Tribunal estimó el recurso. Declaró la nulidad de la resolución administrativa que confirmaba la denegación del sexenio, por falta de motivación suficiente. Se ordenó a la Administración que realizara una nueva valoración del tramo de investigación solicitado, emitiendo un dictamen "debidamente motivado y en la medida en que lo esté de modo suficiente", en palabras de la sentencia. Cada parte asumió sus costas.

Jurisprudencia relacionada: Esta sentencia tinerfeña está en línea con las coetáneas del TSJ valenciano (2014-2015) y con otra dictada el mismo día por el TSJ de Canarias en Las Palmas. Todas ellas enfatizan la exigencia de motivación en las evaluaciones de sexenios. Fue citada posteriormente por el Tribunal Supremo en su argumentación general sobre la motivación como requisito ineludible incluso en ámbitos de discrecionalidad técnica.

Repercusiones prácticas: El fallo tuvo efecto inmediato en la forma en que la ANECA (CNEAI) tramitó los recursos de alzada: a partir de entonces, se observó un esfuerzo mayor por dar respuesta individualizada a las alegaciones de los solicitantes, para evitar incurrir en motivaciones estándar susceptibles de anulación. Asimismo, la sentencia respaldó la confianza de los profesores en que los tribunales exigirían rigor en las explicaciones de las denegaciones, lo que probablemente contribuyó a un aumento de impugnaciones exitosas en esa convocatoria.

Sentencia del Tribunal Superior de Justicia de Canarias (Sala de lo Contencioso-Administrativo, Sección Primera, sede en Las Palmas de Gran Canaria). Número de Sentencia y fecha: Sentencia 95/2016, de 29 de febrero de 2016.

Hechos relevantes: Una investigadora de la Universidad de Las Palmas de Gran Canaria impugnó la resolución de la Secretaría de Estado de Educación que desestimó su recurso de alzada contra la denegación de un sexenio de investigación (período 2007-2012). La profesora había aportado cinco contribuciones científicas que, a su juicio, cumplían los criterios de calidad exigidos; incluso presentó en sede judicial un informe pericial realizado por un catedrático de su área, concluyendo que merecía evaluación positiva. La Administración, sin embargo, había puntuado con insuficiencia dichas aportaciones sin ofrecer mayor detalle.

Fundamentos jurídicos: El TSJ examinó si la evaluación negativa estuvo suficientemente justificada. Observó que la CNEAI se limitó a asignar puntuaciones numéricas a cada aportación y a promediar un resultado inferior al umbral de aprobación, pero no explicó en concreto las razones de las bajas puntuaciones. En el proceso judicial, la recurrente presentó una pericia técnica que argumentaba que cada uno de sus trabajos cumplía los criterios; la Administración, por su parte, se opuso principalmente alegando que la profesora no había solicitado formalmente una pericia judicial en plazo, pero no rebatió el fondo del informe aportado. La Sala valoró especialmente este último hecho: ante la ausencia de contradicción a la evidencia presentada por la profesora sobre la calidad de sus méritos, quedó en entredicho la solidez de la evaluación negativa original. Concluyó que la resolución administrativa adolecía de falta de motivación y posiblemente de una infravaloración injustificada de las aportaciones.

Fallo: El Tribunal estimó el recurso contencioso-administrativo. Anuló la resolución impugnada y el acuerdo de la CNEAI subyacente, con declaración del derecho de la recurrente al tramo reclamado de complemento específico de investigación, con los intereses correspondientes. No se impusieron costas.

Jurisprudencia relacionada: Esta sentencia comparte criterios con la dictada en la misma fecha por el TSJ de Tenerife, siendo ambas referentes en Canarias. Más adelante, el Tribunal Supremo en 2024 (caso de Las Palmas) haría énfasis precisamente en la situación aquí dada –falta de impugnación de la prueba pericial del solicitante– para respaldar la concesión judicial directa del sexenio. Por ello, la sentencia 95/2016 puede considerarse precursora de la evolución jurisprudencial que cristalizó en el Supremo años después.

Repercusiones prácticas: Tras este fallo, la Administración tomó nota de la importancia de contestar punto por punto las pruebas presentadas por los solicitantes en juicio. En la práctica, supuso que, en casos subsiguientes, la ANECA procurara aportar contra-informes o peritajes cuando los reclamantes presentaban informes técnicos a su favor. Asimismo, fortaleció la posición negociadora de los profesores antes de llegar al pleito: conscientes de que un peritaje no contradicho podría llevar a la victoria, muchos obtuvieron revisiones favorables en fase administrativa ante la amenaza de un recurso contencioso con sólida base probatoria.

Sentencia del Tribunal Superior de Justicia de la Comunidad Valenciana (Sala de lo Contencioso-Administrativo, Sección Segunda). Número de Sentencia y fecha: Sentencia 488/2016, de 3 de octubre de 2016.

Hechos relevantes: Un profesor de Derecho de Derecho Financiero e Historia del Derecho de la Universidad de Valencia recurrió la desestimación de su solicitud de sexenio de investigación para el período 2005-2012. La CNEAI había denegado el tramo en 2014 argumentando insuficiente calidad de las aportaciones, y el recurso de alzada fue igualmente rechazado. El profesor argumentó ante el TSJ que varias de sus publicaciones tenían un impacto significativo y que la comisión evaluadora no había dado razones claras de por qué estas no alcanzaban el estándar, incurriendo a su juicio en falta de motivación y posible error de apreciación.

Fundamentos jurídicos: La Sala reiteró los principios ya asentados en sus sentencias de 2014 y 2015. Confirmó que el acto administrativo impugnado mostraba una motivación genérica, basado principalmente en métricas bibliométricas, sin un análisis cualitativo de las aportaciones. Se insistió en que, conforme a la normativa, la evaluación debe primar la contribución al conocimiento y no solo el medio de difusión de los trabajos. Dado que la CNEAI no justificó específicamente por qué los trabajos del solicitante (algunos en revistas de prestigio) no eran merecedores del tramo, el TSJ consideró infringido el deber de motivación. No obstante, se reconoció la potestad técnica de la comisión para valorar la calidad: el tribunal no entró a valorar por sí mismo los artículos, sino que su reproche se centró en la falta de explicación.

Fallo: El TSJ estimó el recurso. Anuló la resolución denegatoria del sexenio y ordenó retrotraer la evaluación para que la CNEAI emitiera una nueva decisión, esta vez con la debida motivación sobre la calidad de los trabajos presentados por el profesor. Se instó a que se considerasen expresamente los criterios cualitativos y las alegaciones del recurrente.

Jurisprudencia relacionada: Esta sentencia vino a confirmar la línea de control marcada por el propio TSJCV en años anteriores, completando un ciclo de fallos (2014 y 2015) uniformes en sus criterios. Más tarde, el Tribunal Supremo (STS 986/2018) recogería muchos de esos argumentos, por lo que puede decirse que la jurisprudencia valenciana sirvió de base para la estatal.

Repercusiones prácticas: El efecto práctico continuó en la misma senda: presión a la CNEAI para mejorar la calidad de sus motivaciones. Tras esta resolución, la entidad evaluadora en algunas convocatorias subsiguientes incorporó en sus denegaciones breves párrafos cualitativos (por ejemplo, indicando que las aportaciones carecían de novedad o de suficiente relevancia en su área), intentando así blindarse frente a anulación. Para los profesores, la sentencia supuso la confirmación de que los tribunales autonómicos mantenían una postura escrutadora, lo que animó a persistir en la vía judicial hasta que el Tribunal Supremo tuvo ocasión de unificar doctrina.

Sentencia del Tribunal Superior de Justicia de la Comunidad Valenciana (Sala de lo Contencioso-Administrativo, Sección Segunda). Número de Sentencia y fecha: Sentencia 28/2017, de 17 de enero de 2017.

Hechos relevantes: Un titular de universidad impugnó la denegación del sexenio de investigación correspondiente al período 2006-2012. La resolución negativa —emitida en 2014— fue confirmada en alzada, argumentándose escuetamente que las publicaciones presentadas no alcanzaban la puntuación requerida. El demandante sostuvo ante el TSJ que varias de sus aportaciones eran de alta calidad y que la Administración había aplicado los criterios de forma errónea o demasiado rígida, sin explicar por qué su investigación no merecía reconocimiento, vulnerando con ello sus derechos.

Fundamentos jurídicos: La Sala reiteró una vez más la doctrina consolidada en la materia. Verificó que la motivación proporcionada en el expediente resultaba insuficiente: si bien enumeraba los artículos y conferencias del solicitante, no contenía un razonamiento específico sobre la valoración de cada uno o sobre el conjunto. El TSJ enfatizó que el solicitante, como profesor universitario, tiene derecho a saber en qué aspectos sus trabajos no cumplieron las expectativas, más allá de una nota numérica. La sentencia insistió en que la evaluación científica debe ser algo más que un cómputo, debiendo reflejar un juicio técnico comprensible y revisable. Al igual que en casos anteriores, el tribunal no entró a decir que el profesor merecía el sexenio, pero sí que la denegación carecía de justificación suficiente.

Fallo: El Tribunal estimó el recurso contencioso-administrativo. Anuló la resolución impugnada que denegaba el tramo y ordenó realizar una nueva evaluación del solicitante, con una motivación detallada. Implícitamente, el profesor obtuvo una segunda oportunidad de valoración de sus méritos, esta vez con garantías de que la comisión debería explicitar los motivos de su decisión, fuera ésta favorable o no.

Jurisprudencia relacionada: Este fallo cierra el ciclo de pronunciamientos del TSJCV sobre sexenios previos a la intervención del Supremo. Está en consonancia con las sentencias de 2014, 2015 y 2016 de la misma Sala. La sentencia del TS de 2018 se citan y asumen muchas de las premisas ya expuestas por el TSJCV en estos asuntos.

Repercusiones prácticas: Además de reiterar las repercusiones ya mencionadas en casos análogos (mejora en la motivación de la CNEAI, empoderamiento de los solicitantes para recurrir decisiones opacas), esta sentencia contribuyó a uniformar la jurisprudencia menor, pues otros Tribunales Superiores (como Galicia o Castilla y León) tomaron nota de la postura valenciana a la hora de resolver posteriormente sus propios casos. En suma, fortaleció la protección judicial del personal investigador ante decisiones insuficientemente motivadas.

Sentencia del Tribunal Superior de Justicia de Canarias (Sala de lo Contencioso-Administrativo, Sección Primera, sede en Las Palmas de Gran Canaria). Número de Sentencia y fecha: Sentencia 629/2021, de 14 de diciembre de 2021.

Hechos relevantes: Un investigador de la Universidad de Las Palmas recurrió la desestimación presunta (por silencio administrativo) de su recurso de alzada contra la denegación de un sexenio de transferencia del conocimiento correspondiente al período 2003-2017. La CNEAI le había denegado el tramo de transferencia, y mientras el recurso de alzada seguía sin respuesta, el profesor acudió al TSJ. En el litigio alegó dos cuestiones principales: primero, que operaba a su favor el silencio administrativo positivo al haber vencido el plazo sin resolución expresa; y segundo, que en cualquier caso la denegación carecía de fundamentación, pues no explicaba qué le faltaba para alcanzar el tramo, máxime cuando él había aportado evidencias de impacto de sus actividades de transferencia.

Fundamentos jurídicos: La Sala analizó ambos aspectos. Por un lado, declaró que en el procedimiento de evaluación de la actividad investigadora (incluyendo la transferencia) el silencio tenía efecto desestimatorio (criterio que invocó apoyándose en la jurisprudencia del Tribunal Supremo, p. ej. STS de 7/04/2021). En segundo lugar, examinó de fondo la motivación: constató que la resolución inicial de la CNEAI simplemente se limitó a comunicar la puntuación insuficiente, sin detallar nada sobre las actividades de transferencia presentadas. Frente a ello, el profesor había demostrado con documentación el alcance de sus proyectos de innovación y colaboración con empresas. El TSJ consideró que la Administración no rebatió esos méritos ni justificó su negativa, lo que revelaba una ausencia de motivación y valoración efectiva.

Fallo: El Tribunal Superior de Justicia estimó íntegramente el recurso. Reconoció el derecho del demandante al tramo de transferencia reclamado, declarando no ajustada a derecho la denegación de la ANECA/CNEAI. En concreto, anuló la resolución impugnada y, en lugar de retrotraer el procedimiento, declaró directamente que el solicitante tenía derecho al complemento específico de investigación por transferencia correspondiente, condenando a la Administración al pago de dicho complemento con efectos económicos y sus intereses. Se impusieron las costas a la parte demandada (Administración).

Jurisprudencia relacionada: Esta sentencia citó y aplicó doctrina del Tribunal Supremo sobre silencio negativo en procedimientos iniciados a solicitud del interesado. Además, su línea argumental respecto a la prueba no contradicha y la concesión directa del sexenio fue posteriormente refrendada por el Tribunal Supremo en la Sentencia de 23/05/2024, que desestimó el recurso de casación de la Administración en este mismo caso. Por tanto, esta resolución de 2021 y la del TS de 2024 están estrechamente vinculadas, conformando un hito jurisprudencial conjunto que contribuye al progreso jurídico en esta materia.

Repercusiones prácticas: El impacto de esta sentencia fue significativo. Fue la primera en reconocer judicialmente un sexenio de transferencia tras la introducción de esta figura en 2018, sentando un precedente muy favorable a los investigadores en este ámbito novedoso. Finalmente, su confirmación por el Supremo en 2024 ha consolidado el mensaje a la ANECA: ante una falta de motivación y de defensa de sus criterios en juicio, los tribunales no dudarán en otorgar ellos mismos el reconocimiento al profesor, acelerando la tutela de sus derechos.

Sentencia del Tribunal Superior de Justicia de Galicia (Sala de lo Contencioso-Administrativo, Sección Primera, sede en A Coruña). Número de Sentencia y fecha: Sentencia 282/2022, de 6 de abril de 2022.

Hechos relevantes: Un profesor impugnó la resolución del Director de la ANECA que, en marzo de 2021, había desestimado su recurso de alzada contra la denegación de un sexenio de transferencia del conocimiento (solicitado para el tramo 1988-1998). El docente alegó que la Administración resolvió fuera de plazo y que, por tanto, se había producido la estimación por silencio administrativo de su solicitud antes de la resolución expresa tardía. Subsidiariamente, argumentó que la denegación carecía de la debida motivación sobre la relevancia de sus actividades de transferencia en dicho periodo histórico.

Fundamentos jurídicos: El TSJ de Galicia analizó primeramente la cuestión del silencio positivo. Interpretando conjuntamente la Ley 39/2015 y la normativa específica de evaluación investigadora, concluyó que el procedimiento estaba sometido a plazo, pero que el silencio equivalía a desestimación. Pese a que la resolución administrativa había llegado después de vencido el plazo sin notificación, la Sala reconoció que, jurídicamente, el sexenio se debía tener por denegado por silencio. Adicionalmente, examinó la motivación del acto expreso tardío y halló que este se limitaba a afirmar que las aportaciones del solicitante no cumplían los criterios, sin explicar cuáles ni en qué medida. En consecuencia, la denegación es anulable por falta de motivación suficiente.

Fallo: El Tribunal estimó parcialmente el recurso y condenó a la Administración a efectuar una nueva valoración de varias aportaciones, anulando la resolución del 29/03/2021 por falta de motivación. Reconoció el derecho del profesor a que se fije la puntuación correspondiente, justificándolo debidamente, y concluyendo con ello lo que corresponda respecto al reconocimiento del tramo de transferencia. No se impusieron las costas.

Jurisprudencia relacionada: Esta sentencia gallega se alinea con la de TSJ Canarias 629/2021, y ambas beben de la doctrina del TS en materia de plazos administrativos. Asimismo, refuerza la jurisprudencia autonómica previa que exigía motivación cualitativa en evaluaciones (conexión con la línea TSJCV 2014-2017). No consta recurso de casación contra este fallo, por lo que quedó firme y sirvió de referencia para casos similares en Galicia.

Repercusiones prácticas: El pronunciamiento tuvo eco inmediato en el sistema universitario gallego. Sus efectos, ampliaron la doctrina expuesta con anterioridad con relación a la debida motivación en todo tipo de convocatoria de sexenio.

7.3. TRIBUNAL CONSTITUCIONAL: RECORDATORIO DE SU POSICIÓN

El Tribunal Constitucional no ha variado sustancialmente su doctrina clásica en este terreno, pero se ha beneficiado de la labor del TS que elimina muchas injusticias sin necesidad de llegar a amparo. Aun así, es útil mencionar alguna resolución del TC reciente:

STC 215/1991, de 14 de noviembre.

Hechos relevantes: En un concurso para una cátedra de Lengua y Literatura Italiana en la Universidad de Salamanca, la comisión evaluadora propuso a un candidato como ganador. Una aspirante no seleccionada reclamó ante la Comisión de Reclamaciones de la Universidad, que revisó el caso, solicitó informes externos y concluyó que la comisión no había seguido sus propios criterios de valoración, vulnerando los principios de mérito y capacidad. En consecuencia, la Comisión de Reclamaciones revocó la propuesta inicial y dejó la plaza sin adjudicar. El profesor propuesto recurrió en amparo alegando vulneración del derecho fundamental de acceso a funciones públicas en condiciones de igualdad (art. 23.2 CE), argumentando que la Comisión de Reclamaciones había sustituido indebidamente el juicio técnico del tribunal académico.

Fundamentos jurídicos: El Tribunal Constitucional analizó el alcance del control de la Comisión de Reclamaciones sobre las decisiones técnicas de los tribunales calificadores universitarios. Declaró que la decisión de adjudicar una plaza académica es un "juicio técnico" propio de un órgano especializado, por lo que ningún órgano revisor puede sustituir libremente esa valoración por otra propia. La función de la Comisión de Reclamaciones se limita a comprobar que no haya ilegalidad, arbitrariedad o desviación de poder, pero no puede entrar en el "núcleo técnico" de la evaluación. Por tanto, su control ha de ser externo, circunscrito a garantizar que la comisión evaluadora actuó conforme a los principios de mérito, capacidad e igualdad, sin crear nuevos criterios ni revalorar los méritos.

Fallo: El Tribunal Constitucional desestimó el recurso de amparo, al considerar que la actuación de la Comisión de Reclamaciones no vulneró el derecho del recurrente, pues se limitó a ejercer un control de legalidad dentro de sus competencias. En consecuencia, confirmó la validez de la resolución universitaria que había dejado sin efecto la propuesta de adjudicación.

Jurisprudencia relacionada: La sentencia sienta doctrina sobre los límites del control revisor en concursos universitarios, consolidando el principio de respeto al juicio técnico especializado. Posteriormente, el Tribunal

Supremo y otras sentencias constitucionales han citado este criterio para señalar que las comisiones revisoras o los tribunales judiciales no pueden sustituir valoraciones técnicas por las propias, salvo ante arbitrariedad manifiesta, desviación de poder o error patente.

Repercusiones prácticas: Este fallo marcó un punto de equilibrio entre control judicial y autonomía técnica. A partir de entonces, las comisiones de reclamaciones universitarias debieron restringir su intervención a casos de irregularidades objetivas, y los tribunales contenciosos han respetado la discrecionalidad técnica de los órganos evaluadores siempre que sus decisiones estén motivadas y sean razonables. En la práctica, la STC 215/1991 reforzó la profesionalidad y autonomía de las comisiones académicas, a la vez que aseguró un control externo limitado, orientado a prevenir arbitrariedades.

STC 138/2000, de 29 de mayo.

Hechos relevantes: Una profesora obtuvo una plaza de Profesora Titular en la Universidad de Granada tras un concurso público. La candidata no seleccionada recurrió ante el Tribunal Superior de Justicia de Andalucía, que anuló el nombramiento al considerar que la ganadora carecía de experiencia docente previa, entendiendo que este era un requisito esencial según los criterios publicados. La profesora beneficiada interpuso recurso de amparo ante el Tribunal Constitucional, alegando vulneración de su derecho de acceso a la función pública en condiciones de igualdad (art. 23.2 CE), ya que el TSJ había reinterpretado los criterios del concurso e introducido un requisito no previsto en la normativa.

Fundamentos jurídicos: El Tribunal Constitucional afirmó que la discrecionalidad técnica de los órganos evaluadores debe ser respetada por los jueces, quienes solo pueden revisar la legalidad y objetividad de sus actos, pero no sustituir su juicio técnico. Recordó que la valoración de los méritos corresponde a los expertos designados, y que la intervención judicial se limita a detectar errores manifiestos, arbitrariedad o desviación de poder. En este caso, el TSJ había transformado un mérito (la docencia previa) en un requisito excluyente no contemplado en la convocatoria, alterando sustancialmente las reglas del proceso selectivo. Dicha actuación judicial, al imponer un criterio nuevo, vulneró los principios de igualdad, mérito y capacidad.

Fallo: El Tribunal Constitucional otorgó el amparo y anuló la sentencia del TSJ, restableciendo el nombramiento de la profesora seleccionada. Declaró que la experiencia docente previa es un mérito valorable, no un requisito obligatorio, y que convertirlo en condición excluyente sin base normativa vulnera el derecho fundamental del art. 23.2 CE.

Jurisprudencia relacionada: La sentencia consolida la doctrina constitucional y del Tribunal Supremo sobre la intangibilidad del juicio técnico, reafirmando que los tribunales no pueden revaluar méritos ni imponer criterios distintos a los fijados por las comisiones. Posteriormente, esta doctrina ha sido aplicada a concursos universitarios, procesos de acreditación y evaluaciones académicas, destacando la necesidad de motivar las decisiones técnicas, pero sin que los jueces sustituyan su criterio o las normas reguladoras de los concursos para la provisión de las plazas de profesor.

Repercusiones prácticas: La STC 138/2000 tuvo un impacto directo en la protección de la discrecionalidad técnica de las comisiones universitarias. Desde entonces, los tribunales han extremado la prudencia en la revisión de concursos, anulando resultados solo por vicios claros (falta de motivación, violación de las bases, desviación de poder). En la práctica, impulsó una mayor exigencia de motivación en las resoluciones de selección y acreditación académica, reforzando la transparencia y previsibilidad en la aplicación de los criterios de mérito y capacidad. Esta sentencia es clave en la evolución del control jurisdiccional de las evaluaciones académicas en España.

7.4. VALORACIÓN FINAL SOBRE EL CONTROL JURISDICCIONAL

El panorama jurisprudencial reciente es claramente positivo desde la perspectiva de los derechos del PDI:

se han abierto las evaluaciones al escrutinio judicial efectivo. Aquello que Eduardo García de Enterría denominó "inmunidades del poder" se ha debilitado significativamente. Hoy podemos afirmar que un profesor cuenta con posibilidades reales de que un juez revise su evaluación en profundidad, no limitándose a un mero control formal. Esto no garantiza que siempre gane el recurso, pero al menos sabe que sus argumentos serán escuchados y analizados con criterio jurídico.

Desde un punto de vista doctrinal, la jurisprudencia del TS ha abrazado (quizá tardíamente, pero con firmeza) las tesis de autores como Enterría, Fernández, Coca o Hernández-Guijarro: ha reconocido que la discrecionalidad técnica mal entendida era un caballo de Troya contra la tutela judicial efectiva. Al exigir motivación y permitir control, se desmonta ese caballo de Troya sin por ello desnaturalizar la función administrativa. Al contrario, la Administración sale fortalecida: como decía Tomás-R. Fernández, juzgar a la Administración contribuye a administrarla mejor, reforzando la confianza de los ciudadanos. En evaluaciones académicas, esto puede traducirse en más credibilidad en los sexenios y concursos, sabiendo los profesores que no están a merced de arbitrariedades irrevisables.

No obstante, desde una perspectiva crítica, algunos podrían argumentar que existe el riesgo de una "judicialización excesiva" de los procesos evaluadores. ¿Pueden los tribunales realmente valorar lo mismo que expertos? ¿No se corre el peligro de que, a base de anular y anular, se genere inseguridad jurídica y retrasos? Es una objeción válida, pero la jurisprudencia es consciente de ello y por eso insiste en no reemplazar el juicio técnico salvo necesidad. Los jueces no se ponen a calificar artículos; solo exigen que quien lo hizo lo explique bien. Y solo en casos de clara injusticia intervienen directamente. Por tanto, se ha logrado un equilibrio: respeto a la autonomía técnica, pero bajo la tutela y defensa de la legalidad y los principios jurídicos.

Un aspecto por vigilar será cómo esta jurisprudencia se aplica a las nuevas modalidades de evaluación, como los concursos por méritos introducidos por la LOSU (donde puede haber aún más subjetividad). También la creciente colaboración de agencias autonómicas implicará que TSJ de distintas regiones apliquen estos criterios. Es previsible que así sea, pues el estándar TS es uniforme.

En conclusión, la jurisprudencia reciente del TS y TSJ en materia de control de la discrecionalidad técnica en evaluaciones académicas ha ampliado sensiblemente las garantías de los interesados. Ha impuesto a las agencias evaluadoras un alto estándar de calidad jurídica en su actuación: motivar, fundamentar con criterios objetivos, tratar igual lo igual, justificar diferencias, respetar las bases y reglas del juego, actuar con transparencia y buena fe. Cuando esas exigencias se cumplen, las evaluaciones ganan legitimidad y difícilmente serán anuladas; cuando se incumplen, hoy por hoy es bastante probable que un tribunal rectifique el entuerto.

Así pues, podemos finalizar afirmando que el "fantasma" de la discrecionalidad técnica absoluta, que deambulaba por la jurisprudencia antigua dejando en sombra áreas del control judicial, ha sido expulsado. En su lugar, tenemos un principio de legalidad reforzada en materia de valoraciones técnicas. Este es un logro del Derecho administrativo contemporáneo español, fruto del diálogo entre la doctrina y la jurisprudencia, y en última instancia, una victoria para el Estado de Derecho, los principios de mérito y capacidad y la confianza en nuestras instituciones evaluadoras.

VIII. Referencias bibliográficas

8.1 BIBLIOGRAFÍA CONSULTADA Y RECOMENDADA

- **Atienza, Manuel**. *Contribución a una teoría de la legislación.* Civitas, Madrid, 1997.
- **Belaíez Rojo, Margarita**. *Los principios jurídicos.* Civitas, Cizur Menor (Navarra), 2010.
- **Coca Vila, Eduardo**. "Legalidad constitucional, exclusión de control jurisdiccional y discrecionalidad técnica", *Revista de Administración Pública* n.º 100-102 (1983), pp. 1039-1081.
- **Coca Vila, Eduardo**. "También la discrecionalidad técnica bajo el control último de los Tribunales", *Revista de Administración Pública* n.º 108 (1985), pp. 201-219.
- **Delgado López-Cózar, Emilio**. *Sexenios 2018, cambios relevantes: reformando la evaluación de la transferencia de conocimiento y con novedades del Tribunal Supremo.* 4ª ed., Granada, 17 de diciembre de 2018 (informe técnico de libre difusión).
- **Fernández, Tomás-Ramón**. *De la arbitrariedad de la Administración.* Aranzadi, Pamplona, 2008.
- **Fernández, Tomás-Ramón**. "La discrecionalidad técnica: un viejo fantasma que se desvanece", *Revista de Administración Pública* n.º 196 (enero-abril 2015), pp. 211-227.
- **Fernández Tomás-Ramón**. "Juzgar a la Administración contribuye también a administrar mejor", *Revista española de Derecho Administrativo,* núm. 76, 1992, pp. 511-532.

- **Fernández Tomas-Ramón**. ¿Debe la Administración actuar racional y razonablemente?, *Revista española de derecho administrativo*, nº 83, 1994, pp. 381-401.
- **García de Enterría, Eduardo**. *La lucha contra las inmunidades del poder en el Derecho Administrativo*. Alianza Editorial, Madrid, 2004.
- **García de Enterría, Eduardo; Fernández, Tomás-Ramón**. *Curso de Derecho Administrativo*, t. I y II (27ª ed.). Civitas-Thomson Reuters, Cizur Menor, 2022 (1ª ed. 1981, últimas actualizaciones por R. Alonso García).
- **García de Enterría, Eduardo; Alonso García, Ricardo**. *Administración y Justicia: un análisis jurisprudencial*. Aranzadi, Cizur Menor, 2012.
- **Hernández-Guijarro, Fernando**. *Los principios y garantías constitucionales en las ordenanzas fiscales*. Aranzadi, Cizur Menor, 2015.
- **Hernández-Guijarro, Fernando**. "El principio de interdicción de la arbitrariedad en las ordenanzas fiscales", *Quincena Fiscal* n.º 7 (2016).
- **Hernández-Guijarro, Fernando**. "Los principios jurídicos como límite a la discrecionalidad técnica en los concursos públicos de personal", *Revista Digital de Derecho Administrativo* (Univ. Externado Colombia), n.º 25 (primer semestre 2021), pp. 405-425.
- **López Menudo, Francisco**. "Los principios generales del procedimiento administrativo", *Revista de Administración Pública* n.º 129 (1992), pp. 147-196.
- **Menéndez, Ángel; Rodríguez-Chaves, Blanca; Chinchilla, Juan A.** *Las garantías básicas del procedimiento administrativo*. Colegio de Registradores, Madrid, 2005.
- **Nieto, Alejandro; Fernández, Tomás-Ramón**. *El derecho y el revés. Diálogo epistolar sobre leyes, abogados y jueces*. Ariel, Barcelona, 2010.

- **Reinoso Barbero, Fernando (coord.)**. *Principios generales del Derecho: antecedentes históricos y horizonte actual.* Aranzadi, Cizur Menor, 2014.
- **Rivero, Enrique; Rivero, Ricardo**. "¿Acaso existe la discrecionalidad técnica? (Comentario a la STS de 19 de julio de 2010)", *El Cronista del Estado Social y Democrático de Derecho* n.º 13 (2010), pp. 76-82.
- **Rastrollo Suárez, Juan José**. "El acceso a la función pública en Colombia: Discrecionalidad del ejecutivo y control judicial de sus decisiones", *Revista Digital de Derecho Administrativo* (Univ. Externado Colombia), n.º 23 (2020), pp. 41-70.
- **Rodríguez-Arana, Jaime**. "El derecho administrativo global: un derecho principial", *Revista Andaluza de Administración Pública* n.º 76 (2010), pp. 39-54.
- **Sánchez Morón, Miguel**. "La lucha contra la arbitrariedad gubernativa en la función pública: el caso «Pérez de los Cobos»", *Revista de administración pública,* nº 223, 2024, pp. 169-180.

8.2 REFERENCIAS NORMATIVAS

- **Constitución Española (1978)** – Artículos 9.3 (interdicción de la arbitrariedad), 14 (igualdad), 23.2 (mérito y capacidad en acceso a funciones públicas), 24 (tutela judicial efectiva), 103.1 (objetividad y sometimiento a la Ley y al Derecho de la Administración), 103.3 (acceso a la función pública según mérito y capacidad), 106.1 (control judicial de la legalidad de la actuación administrativa).
- **Ley 30/1992, de 26 de noviembre, de Régimen Jurídico de las Administraciones Públicas y del Procedimiento Administrativo Común** – (Derogada, citada en antecedentes históricos; establecía reglas de motivación y recursos).

- **Ley 6/2001, de 21 de diciembre, Orgánica de Universidades (LOU)** – (Tras reforma LO 4/2007) Artículos que establecieron la acreditación nacional para cuerpos docentes (art. 57 LOU y siguientes) y principios de selección del PDI.
- **Ley 7/2007, de 12 de abril, del Estatuto Básico del Empleado Público (EBEP)** – Art. 55 (principios rectores del acceso al empleo público: mérito, capacidad, igualdad, publicidad, *discrecionalidad técnica e independencia de los órganos de selección* – menciona la discrecionalidad técnica).
- **Ley 19/2013, de 9 de diciembre, de Transparencia, Acceso a la Información Pública y Buen Gobierno** – Art. 24 (reclamaciones ante el CTBG sustituyen recursos administrativos), art. 23 (resoluciones del CTBG fin vía administrativa), Título I (derecho de acceso a info.), Título II (principios de buen gobierno).
- **Ley 39/2015, de 1 de octubre, del Procedimiento Administrativo Común de las Administraciones Públicas (LPAC)** – Art. 35 (motivación obligatoria de actos que limiten derechos, de actos discrecionales y de resoluciones de recursos; motivación de actos en concursos, art. 35.2), Art. 112.2 (recursos administrativos: reclamaciones CTBG sustituyen recursos), Arts. 121-122 (recurso de alzada), Art. 123 (reposición potestativa), Art. 124 (plazo para resolver reposición).
- **Ley 40/2015, de 1 de octubre, de Régimen Jurídico del Sector Público** – (No citada directamente, pero regula entidades como ANECA – O.A. estatal).
- **Ley Orgánica 2/2023, de 22 de marzo, del Sistema Universitario (LOSU)** – Nuevas previsiones: art. 77 (mantenimiento de acreditación nacional), art. 84 (concursos de acceso, con posibilidad de méritos), disposiciones sobre evaluación del profesorado.
- **Real Decreto 1086/1989, de 28 de agosto, sobre retribuciones del profesorado universitario** – Art. 2.4 (sexenios

de investigación: derecho a complemento cada seis años evaluados positivamente).

- **Orden de 2 de diciembre de 1994 (Ministerio de Educación)** – Establece el procedimiento para la evaluación de la actividad investigadora (sexenios) y criterios generales. Art. 8.2 (evaluación en términos numéricos de 0 a 10; define aportaciones ordinarias y extraordinarias). *(Publicada en BOE 13/12/1994.)*
- **Real Decreto 1312/2007, de 5 de octubre** – Establece la acreditación nacional para acceso a cuerpos docentes (desarrollo LOU). Anexos con baremos (modificado por RD 415/2015). *(Cit. indirecta.)*
- **Real Decreto 1313/2007, de 5 de octubre** – Regula los concursos de acceso a cuerpos docentes universitarios. *(Cit. indirecta.)*
- **Real Decreto 1112/2015, de 11 de diciembre** – Aprueba el *Estatuto del Organismo Autónomo ANECA*. Arts. 19 y 20 (referidos a CNEAI): Art. 19.2.a) (CNEAI evalúa actividad investigadora PDI y personal OPI); Art. 19.2.c) (CNEAI resuelve concesión/denegación de tramos, debe motivar si aparta de comités); Art. 19.3 (CNEAI presidida por Director ANECA, etc.); Art. 20.1 (CNEAI propone criterios específicos bienalmente; Presidente eleva a SE Univ. para BOE); Art. 20.3 (recursos de alzada resueltos por Director de ANECA).
- **Real Decreto 310/2019, de 26 de abril** – Regula régimen retributivo de investigadores de OPIs y crea Comisión Evaluadora (sexenios OPIs). *(Mencionado en BOE 2024 criterios como referencia.)*
- **Real Decreto 678/2023, de 18 de julio** – Regula la acreditación estatal para acceso a cuerpos docentes y régimen de concursos de acceso. Art. 21.6 (ANECA garantizará coherencia de méritos, competencias y criterios en sus diversos procedimientos).
- **Resolución de 14 de noviembre de 2018 (Secretaría de Estado de Universidades)** – Convocatoria piloto sexenio de trans-

ferencia 2018. (BOE 26/11/2018). Indicaba posibilidad de volver a solicitar en siguiente convocatoria si desfavorable.

- **Resolución de 9 de diciembre de 2024 (CNEAI-ANECA)** – Criterios específicos para evaluación de la actividad investigadora, convocatoria 2024. (BOE 19/12/2024, ref. BOE-A-2024-26587). Incluye adaptaciones a LO SU 2023, amplia aportaciones extraordinarias en todos campos, combina métodos cuali-cuanti (DORA, CoARA), etc.
- **Resolución de 11 de diciembre de 2024 (SG Universidades)** – Convocatoria anual de evaluación de la actividad investigadora 2024 (sexenios). (BOE 24/12/2024, ref. BOE-A-2024-27007). Establece el plazo de solicitudes y remite a criterios de CNEAI publicados.
- **Resoluciones del Consejo de Transparencia y Buen Gobierno (CTBG)**:
  - R/0730/2024, de 1/7/2024 – (Expte. R-140/2024), retraso en respuesta; estimación parcial y ordena entregar información sobre acreditación de CU y TU en el área de Organización de empresas.
  - R/0262/2023, de 18/4/2023 – (Expte. R-0849/2022), solicitud de información sexenio Derecho Financiero y Tributario): Estima en parte, ordena entregar informes de evaluación de todos los solicitantes del área.
  - R/0458/2023, de 9/06/2023 (Expte. R-0956-2022). solicitud de información sexenio Derecho Penal y Derecho Administrativo: Estima en parte, ordena entregar informes de evaluación de todos los solicitantes del área.
  - (Otras resoluciones CTBG citadas indirectamente).
- **Código Ético de ANECA** – Aprobado por Resolución de 23 de noviembre de 2023 del Consejo Rector de ANECA

(BOE-A-2023-26713). No se detalla, pero forma parte de buen gobierno.

8.3. REFERENCIAS JURISPRUDENCIALES

A continuación, se referencian resoluciones judiciales que versan sobre el control de los procedimientos de evaluación:

- Tribunal Constitucional 34/1995, de 6 de febrero de 1995 (Recurso de amparo 3488/1993)
- Tribunal Supremo, sentencia 5168/2006, de 27 de julio, número de recurso 2393/2003.
- Tribunal Supremo, sentencia 4206/2007, de 10 de mayo, número de recurso 545/2002.
- Tribunal Supremo, sentencia 5608/2012, de 1.º de junio, número de recurso 564/2010.
- Tribunal Supremo, sentencia 3944/2014, de 24 de septiembre, número de recurso 1375/2013.
- Tribunal Supremo, sentencia 4549/2014, de 24 de septiembre, número de recurso 917/2013.
- Tribunal Supremo, sentencia 5306/2015, de 26 de noviembre, número de recurso 3369/2014.
- Tribunal Supremo, sentencia 14/2016, de 18 enero, número de recurso 3379/2014.
- Tribunal Supremo, sentencia 2799/2016, de 26 de mayo, número de recurso 1785/2015.
- Tribunal Supremo, sentencia 3094/2016, de 28 de junio, número de recurso 1886/2015.

- Tribunal Supremo, sentencia 1765/2016, de 13 de julio, número de recurso 2036/2014.
- Tribunal Supremo, sentencia 4226/2016, de 27 de septiembre, número de recurso 1491/2014.
- Tribunal Supremo, sentencia 5473/2016, de 15 de diciembre, número de recurso 881/2015.

IX. Anexos

9.1 FORMULARIOS DE RECURSOS ADMINISTRATIVOS

• **Recurso de reposición**: los actos administrativos que pongan fin a la vía administrativa podrán ser recurridos potestativamente en reposición ante el mismo órgano que los hubiera dictado o ser impugnados directamente ante el orden jurisdiccional contencioso-administrativo. No se podrá interponer recurso contencioso-administrativo hasta que sea resuelto expresamente o se haya producido la desestimación presunta del recurso de reposición interpuesto.

El plazo para la interposición del recurso de reposición será de un mes, si el acto fuera expreso. Transcurrido dicho plazo, únicamente podrá interponerse recurso contencioso-administrativo, sin perjuicio, en su caso, de la procedencia del recurso extraordinario de revisión. Si el acto no fuera expreso, el solicitante y otros posibles interesados podrán interponer recurso de reposición en cualquier momento a partir del día siguiente a aquel en que, de acuerdo con su normativa específica, se produzca el acto presunto. El plazo máximo para dictar y notificar la resolución del recurso será de un mes. Contra la resolución de un recurso de reposición no podrá interponerse de nuevo dicho recurso.

A LA "indicar la Administración emisora de la resolución impugnada"

"Don/Doña nombre y apellidos", mayor de edad, con N.I.F. "número", y domicilio, a efectos de notificaciones, en "calle, número, localidad, código postal" actuando en su propio nombre, comparece y, como mejor proceda en Derecho,

EXPONE

PRIMERO.

Que, en fecha reciente, hemos recibido notificación de la resolución de "describir bien el acto administrativo haciendo referencia al procedimientos de evaluación académica concreta; acreditación, sexenio, plaza de profesor…", fechado el "día, mes y año de la notificación", y del que se adjunta copia, dictado en el expediente seguido con el número "número de referencia", mediante el que se deniega "la acreditación, el sexenio o la plaza de profesor de..." a la que había presentado mi "solicitud o candidatura" correspondiente.

SEGUNDO.

Que, disconforme con tal acto administrativo de notificado y con la valoración académica del que trae causa, con los hechos apreciados por la Administración, con las consecuencias jurídicas que de ellos se derivan, y con el procedimiento administrativo desplegado, mediante este escrito, y al amparo de lo previsto en el artículo 123 y siguientes de la Ley 39/2015, de 1 de octubre, del Procedimiento Administrativo Común de las Administraciones Públicas (LPAC), relativos al recurso potestativo de reposición previo a la jurisdicción contencioso-administrativo, vengo a interponer recurso de reposición contra la citada resolución.

TERCERO.

Que el presente recurso de reposición halla sustento en los siguientes,

FUNDAMENTOS JURÍDICOS

PRIMERO. "indicar y desarrollar los fundamentos de Derecho en los que basamos el recurso"

SEGUNDO. "indicar y desarrollar…"

Nota: Conviene vestir nuestros argumentos jurídicos con la jurisprudencia que avale nuestra posición. A tal efecto, el conjunto de sentencias citadas en esta obra puede ser de utilidad.

En virtud de lo expuesto,

SOLICITA

1. Se sirva admitir el presente escrito y la documentación que le acompaña y tenga por interpuesto recurso de reposición contra la resolución anteriormente identificada y contra la valoración de la que trae causa.

2. Haciéndose eco de nuestra argumentación, declare nulo y/o anulable, y/o revoque y deje sin efecto la valoración realizada por la comisión correspondiente, así como la resolución aludida.

Fdo.: "Don/Doña nombre y apellidos"

Nota: Si se considera necesario solicitar la suspensión de la resolución impugnada:

OTROSÍ DIGO: Que, al amparo de lo previsto en el artículo 117 de la LPAC, se solicita la suspensión de la resolución impugnada, por cuanto esta parte estima que la ejecución pudiera causar perjuicios de imposible o difícil reparación por "justificar éstos" y que la impugnación se fundamente en alguna de las causas de nulidad de pleno derecho como "citar los vicios alegados que quepan en el art. 47.1 de la LPAC).

Fdo.: "Don/Doña nombre y apellidos"

Nota: Si el recurrente precisase del expediente para formular alegaciones, deberá comparecer durante el plazo de interposición del recurso para que se le ponga de manifiesto.

Nota: A los efectos de la presentación y aportación de documentos y copias, y de su validez y eficacia ante la Administración debe tenerse en cuenta lo previsto en la LPAC arts. 27, 28, 53 y 66.3, que regula la presentación de escritos, documentos y solicitudes ante la Administración, la expedición de copias y la devolución de originales.

• **Recurso de alzada**: las resoluciones que no pongan fin a la vía administrativa podrán ser recurridas en alzada ante el órgano superior jerárquico del que las dictó. El recurso podrá interponerse ante el órgano que dictó el acto que se impugna o ante el competente para resolverlo. El plazo para la interposición del recurso de alzada será de un mes, si el acto fuera expreso. Transcurrido dicho plazo sin haberse interpuesto el recurso, la resolución será firme a todos los efectos. Si el acto no fuera expreso el solicitante y otros posibles interesados podrán interponer recurso de alzada en cualquier momento a partir del día siguiente a aquel en que, de acuerdo con su normativa específica, se produzcan los efectos del silencio administrativo. El plazo máximo para dictar y notificar la resolución será de tres meses. Transcurrido este plazo sin que recaiga resolución, se podrá entender desestimado el recurso. Contra la resolución de un recurso de alzada no cabrá ningún otro recurso administrativo, salvo el recurso extraordinario de revisión.

A LA "indicar la Administración emisora de la resolución impugnada"

"Don/Doña nombre y apellidos", mayor de edad, con N.I.F. "número", y domicilio, a efectos de notificaciones, en "calle, número, localidad, código postal" actuando en su propio nombre, comparece y, como mejor proceda en Derecho,

EXPONE

PRIMERO.

Que, en fecha reciente, hemos recibido notificación de la resolución de "describir bien el acto administrativo haciendo referencia al procedimientos de evaluación académica concreta; acreditación, sexenio, plaza de profesor…", fechado el "día, mes y año de la notificación", y del que se adjunta copia, dictado en el expediente seguido con el número "número de referencia", mediante el que se deniega "la acreditación, el sexenio o la plaza de profesor de..." a la que había presentado mi "solicitud o candidatura" correspondiente.

SEGUNDO.

Que, disconforme con tal acto administrativo de notificado y con la valoración académica del que trae causa, con los hechos apreciados por la Administración, con las consecuencias jurídicas que de ellos se derivan, y con el procedimiento administrativo desplegado, mediante este escrito, y al amparo de lo previsto en el artículo 121 y siguientes de la Ley 39/2015, de 1 de octubre, del Procedimiento Administrativo Común de las Administraciones Públicas (LPAC), relativos al recurso de alzada previo a la jurisdicción contencioso-administrativo, vengo a interponer recurso de alzada contra la citada resolución.

TERCERO.

Que el presente recurso de reposición halla sustento en los siguientes,

FUNDAMENTOS JURÍDICOS

PRIMERO. "indicar y desarrollar los fundamentos de Derecho en los que basamos el recurso"

SEGUNDO. "indicar y desarrollar..."

Nota: Conviene vestir nuestros argumentos jurídicos con la jurisprudencia que avale nuestra posición. A tal efecto, el conjunto de sentencias citadas en esta obra puede ser de utilidad.

En virtud de lo expuesto,

SOLICITA

1. Se sirva admitir el presente escrito y la documentación que le acompaña y tenga por interpuesto recurso de alzada contra la resolución anteriormente identificada y contra la valoración de la que trae causa.

2. Haciéndose eco de nuestra argumentación, declare nulo y/o anulable, y/o revoque y deje sin efecto la valoración realizada por la comisión correspondiente, así como la resolución aludida.

Fdo: "Don/Doña nombre y apellidos"

Nota: Si se considera necesario solicitar la suspensión de la resolución impugnada:

OTROSÍ DIGO: Que, al amparo de lo previsto en el artículo 117 de la LPAC, se solicita la suspensión de la resolución impugnada, por cuanto esta parte estima que la ejecución pudiera causar perjuicios de imposible o difícil reparación por "justificar éstos" y que la impugnación se fundamente en alguna de las causas de nulidad de pleno derecho como "citar los vicios alegados que quepan en el art. 47.1 de la LPAC).

Fdo: "Don/Doña nombre y apellidos"

Nota: Si el recurrente precisase del expediente para formular alegaciones, deberá comparecer durante el plazo de interposición del recurso para que se le ponga de manifiesto.

Nota: A los efectos de la presentación y aportación de documentos y copias, y de su validez y eficacia ante la Administración debe tenerse en cuenta lo previsto en la LPAC arts. 27, 28, 53 y 66.3, que regula la presentación de escritos, documentos y solicitudes ante la Administración, la expedición de copias y la devolución de originales.

9.2 FORMULARIOS DE RECURSOS CONTENCIOSO-ADMINISTRATIVOS

• **El recurso contencioso-administrativo:** se iniciará por un escrito reducido a citar la disposición, acto, inactividad o actuación constitutiva de vía de hecho que se impugne y a solicitar que se tenga por interpuesto el recurso (salvo cuando la Ley disponga otra cosa, por ejemplo, el procedimiento abreviado -LJCA art.78-). A este escrito se acompañará, entre otros: el documento que acredite la representación del compareciente; la copia o traslado de la disposición o del acto expreso que se recurran, o indicación del expediente en que haya recaído el acto o el periódico oficial en que la disposición se haya publicado. Si el objeto del recurso fuera la inactividad de la Administración o una vía de hecho, se mencionará el órgano o dependencia al que se atribuya una u otra, en su caso, el expediente en que tuvieran origen, o cualesquiera otros datos que sirvan para identificar suficientemente el objeto del recurso. El plazo para interponer el recurso contencioso-administrativo será de dos meses contados desde el día siguiente al de la publicación de la disposición impugnada o al de la notificación o publicación del acto que ponga fin a la vía administrativa, si fuera expreso. Si no lo fuera, el plazo será de seis meses y se contará, para el solicitante y otros posibles interesados, a partir del día siguiente a aquél en que, de acuerdo con su normativa específica, se produzca el acto presunto.

Recibido el expediente administrativo en soporte electrónico en el juzgado o tribunal y comprobados, y en su caso completados, los emplazamientos, por el letrado o letrada de la Administración de Justicia se acordará su incorporación a los autos en ese mismo soporte y su entrega al recurrente para que se deduzca la demanda en el plazo de veinte días.

Nota: A partir del 3-4-2025, se crean los Tribunales de Instancia, que -una vez implantados- van a sustituir a los actuales órganos judiciales unipersonales (juzgados). Habrá un Tribunal de Instancia en cada partido judicial, con sede en su capital, de la que toma su nombre. Los Tribunales de Instancia, además de las Secciones preceptivas, pueden estar integrados, entre otras, por una Sección de lo Contencioso-Administrativo (LOPJ art.84 redacc. LO 1/2025). La constitución de los Tribunales de Instancia se va a realizar de manera escalonada y no va a ser hasta el 31-12-2025, cuando los actuales Juzgados de lo Contencioso-Administrativo se transformen en la respectiva Sección de lo Contencioso-Administrativo. Hasta la definitiva implantación de los Tribunales de Instancia en cada uno de los partidos judiciales va a seguir vigente en ellos el régimen actual de organización de los Juzgados (LO 1/2025 disp.trans.1ª).

• **Escrito de interposición del recurso contencioso-administrativo:**

AL "indicar el órgano jurisdiccional competente"

"Don/Doña nombre y apellidos", Procurador de los Tribunales, actuando en representación de "don/doña nombre y apellidos", mayor de edad, "estado civil", con domicilio en "localidad, código postal, calle, número", datos a efectos de contacto "indicar número de teléfono, dispositivo electrónico, servicio de mensajería simple o una dirección de correo electrónico" y N.I.F. "número", cuya representación se acredita mediante escritura de poder que se acompaña como documento número UNO, ante "el órgano jurisdicción correspondiente", comparezco y como en Derecho mejor proceda,

Nota: para las actuaciones ante órganos unipersonales, la asistencia por Abogado es obligatoria, pero la representación mediante Procurador es potestativa; cuando las partes confieran su representación al Abogado, será a este a quien se notifiquen las actuaciones. La representación de las partes mediante Procurador y su asistencia por Abogado es obligatoria en actuaciones ante órganos colegiados. La representación podrá conferirse electrónicamente a través de los medios establecidos para ello (LJCA art.23).

Con vigencia desde el 3-4-2025, se modifica la LEC art.399 exigiendo que en la demanda se consigne un número de teléfono, dispositivo electrónico, servicio de mensajería simple o una dirección de correo electrónico, de disponer de ellos, a los meros efectos de contacto por el tribunal. Si se trata de personas obligadas a relacionarse electrónicamente con la Administración de Justicia, o que elijan hacerlo pese a no venir obligadas a ello, se deben consignar, necesariamente, un número de teléfono y una dirección de correo electrónico (LEC art.399 redacc LO 1/2025).

DIGO

PRIMERO.

Que en fecha reciente hemos recibido notificación de "precisar la resolución de que se trate y órgano que la dicta", fechada el "día, mes y año" y de la que se adjunta copia como documento número DOS, "dictado en el expediente seguido con el número 'número de referencia'".

SEGUNDO.

Que no considerando ajustado a Derecho el acto administrativo referenciado anteriormente, en virtud de lo dispuesto en el Título IV, Capítulo I, Sección 2ª, de la Ley 29/1998, de 13 de julio, Reguladora de la Jurisdicción Contencioso-Administrativa, procedo mediante el presente escrito, en la representación que ostento, a interponer recurso contencioso-administrativo contra el mismo.

En virtud de lo expuesto,

SOLICITA

Que, presentado este escrito en tiempo y forma, tenga por interpuesto Recurso Contencioso-Administrativo contra la resolución administrativa identificada en el exponendo Primero, reclame el expediente administrativo de referencia y, en su día, previos los trámites legales pertinentes, dicte sentencia estimando el recurso interpuesto.

OTROSÍ DIGO: Que, de acuerdo con lo dispuesto en el artículo 45.2 de la citada Ley 29/1998, se acompañan al presente escrito los siguientes documentos:

1° Escritura de poder de representación procesal a mi favor (Documento número UNO).

2° Fotocopia de la resolución impugnada (Documento número DOS).

SUPLICO tenga por aportados los anteriores documentos a los efectos previstos en el artículo 45.2 de la precitada Ley29/1998.

Es justicia que pido en "localidad", a "día, mes y año".

Fdo.: "nombre y apellidos del Letrado"

Letrado "número de colegiado "

Fdo.: "nombre y apellidos del Procurador"

Procurador

• **Escrito de formulación de demanda:** en el escrito de demanda se consignarán con la debida separación los hechos, los fundamentos de Derecho y las pretensiones que se deduzcan, en justificación de las cuales podrán alegarse cuantos motivos procedan, hayan sido o no planteados ante la Administración. Con la demanda las partes acompañarán los documentos en que directamente funden su derecho, y si no obraren en su poder, designarán el archivo, oficina, protocolo o persona en cuyo poder se encuentren. Asimismo, las partes podrán exponer, por medio de otrosí, su parecer al respecto de la cuantía del recurso. En su caso, en el escrito de demanda deberá pedirse por otrosí el recibimiento del proceso a prueba, la celebración de vista o conclusiones.

AL “indicar el órgano jurisdiccional competente”

“Don/Doña nombre y apellidos”, Procurador de los Tribunales, actuando en representación de “don/doña nombre y apellidos”, mayor de edad, “estado civil”, con domicilio en “localidad, código postal, calle, número” y N.I.F. “número”, datos a efectos de contacto “indicar número de teléfono, dispositivo electrónico, servicio de mensajería simple o una dirección de correo electrónico”, cuya representación consta acreditada en autos “indicar número de procedimiento” ante “el órgano jurisdicción correspondiente” comparezco y como en Derecho mejor proceda,

DIGO

PRIMERO.

Que en fecha reciente hemos recibido notificación de la “indicar el tipo de Resolución” fechada el “día, mes y año” por la que se emplaza a esta parte fin de que, dentro del improrrogable plazo de veinte días, se formalice la demanda.

SEGUNDO.

Que dentro del plazo señalado procede a formalizar la correspondiente demanda, fundada en los siguientes Hechos y Fundamentos Jurídicos,

HECHOS

"I. Especificar hecho"

"II. Especificar hecho"

FUNDAMENTOS DE DERECHO -PROCESALES-

Primero. Jurisdicción y competencia.

Corresponde a la jurisdicción contencioso-administrativa el conocimiento del presente recurso y el órgano jurisdiccional al que me dirijo es el competente de acuerdo con lo establecido en la Ley 29/1998, de 13 de julio, reguladora de la Jurisdicción Contencioso-Administrativa (LJCA).

Segundo. Capacidad procesal y legitimación.

De conformidad con los artículos 18 y 19 de la citada Ley29/1998, mi representado tiene capacidad procesal ante el orden jurisdiccional contencioso-administrativo, y tiene, asimismo, legitimación para ser parte en este proceso para formular las pretensiones que le conviene a sus derechos e intereses legítimos por haber sido parte en el procedimiento administrativo previo y cuya resolución se impugna.

La Administración demandada está legitimada pasivamente por ser aquella de la que proviene el acto a que se refiere el recurso, conforme al LJCA artículo 21 de la misma Ley.

Tercero. Impugnabilidad del acto recurrido.

El presente recurso contencioso-administrativo es admisible, de conformidad con el artículo 25 y siguientes de la LJCA, por cuanto la resolución impugnada ha puesto fin a la vía administrativa.

Cuarto. Objeto del recurso.

Se pretende, conforme al LJCA artículo 31 de la mencionada Ley, la declaración de no ser conforme a Derecho la "indicar la resolución recurrida", declarando la adecuación a Derecho de las pretensiones de mi representada. "en su caso: Asimismo, reconozca la situación jurídica individualizada consistente en 'indicar en qué consiste la misma'".

Quinto. Requisitos formales.

Se han cumplido por esta parte los requisitos formales y temporales prevenidos en los LJCA artículos 45 y 46 de la referida Ley, en cuanto se inició este recurso por escrito presentado en tiempo y forma citando los actos por razón de los cuales se formulaba y acompañando los documentos exigidos por esa norma; asimismo, se formaliza esta demanda dentro del plazo señalado en el LJCA artículo 52 y con los requisitos establecidos en el LJCA artículo 56 de la misma Ley.

Asimismo, esta parte formula la demanda representada por Procurador de los Tribunales y bajo la dirección de Letrado, conforme a lo dispuesto en el LJCA artículo 23.2 de la expresada Ley.

FUNDAMENTOS DE DERECHO -MATERIALES-

Primero. "Especificar fundamento de Derecho material"

SEGUNDo. "Especificar fundamento de Derecho material"

Nota: Al tratarse del ámbito académico, además de citar la jurisprudencia que avale nuestra posición jurídica, podemos hacer referencia a opiniones doctrinales; por ejemplo, "sobre el control pleno de la actividad administrativa por los jueces y tribunales (artículo 106.1 de la CE) incluye los aspectos reglados de la decisión, en nuestro caso, la valoración de los méritos, pero también del respeto de los principios generales del derecho a que la Administración se encuentra siempre sometida"[50].

En virtud de lo expuesto,

SOLICITA

Que, admitiendo este escrito junto con sus copias "y los documentos que acompaño", tenga por formalizada la demanda en el recurso contencioso-administrati-

---

50 García De Enterría, E. y Alonso García, R., *Administración y justicia: un análisis jurisprudencial,* Aranzadi, 2012, p. 1154.

vo interpuesto y, previos los trámites oportunos, dicte Sentencia declarando de no ser conforme a Derecho la resolución recurrida conforme a los fundamentos jurídicos aducidos por esta parte "en su caso: y reconozca la situación jurídica individualizada consistente en 'indicar en qué consiste la misma'".

OTROSÍ DIGO I: Que de conformidad con lo dispuesto en el artículo 40 de la LJCA, a juicio de esta parte, la cuantía del presente recurso ha de establecerse en "indicar la cuantía objeto del proceso" euros.

Por lo que,

SOLICITO se tenga por hecha la anterior manifestación a los oportunos efectos legales.

OTROSÍ DIGO II: Que, de acuerdo con lo previsto en el artículo 60 de la Ley referida LJCA, solicito el recibimiento del proceso a prueba que habrá de versar sobre "indicar en forma ordenada los puntos de hecho a probar", y tal efecto se proponen los siguientes medios de prueba:

"Documental pública: indicar en qué consiste la misma"

"Documental privada: indicar en qué consiste la misma"

"Pericial: indicar en qué consiste la misma"

"Testifical: indicar en qué consiste la misma"

"Interrogatorio de parte: "indicar en qué consiste la misma"

"Reconocimiento judicial: "indicar en qué consiste la misma"

"Cualquier otro medio del que pudiera obtenerse certeza sobre hechos relevantes: indicar en qué consiste el mismo"

Por lo que,

SOLICITO se tenga por hecha la anterior manifestación y en su virtud acuerde recibir el proceso a prueba y disponga la práctica de los medios de prueba propuestos por esta parte.

OTROSÍ DIGO III: Que conforme preceptúa el artículo 62 de la LJCA, y dada la naturaleza de la cuestión debatida en este pleito, esta parte estima que puede convenir a su esclarecimiento la celebración de vista.

Por ello,

SOLICITO que una vez contestada la demanda se acuerde su traslado a esta parte con señalamiento de fecha para la celebración de vista.

OTROSÍ DIGO IV: Que conforme preceptúa el artículo 62 de la LJCA, y dada la naturaleza de la cuestión debatida en este pleito, esta parte estima que puede convenir a su esclarecimiento el trámite de conclusiones.

Por ello,

SOLICITO que una vez contestada la demanda se acuerde su traslado a esta parte con apertura del trámite de conclusiones.

OTROSÍ DIGO V: Que la actuación de la Administración demandada es perfectamente incardinable en los supuestos que, para la condena en costas, tipifica el artículo 139 de la LJCA.

Por ello,

SOLICITO tenga por hecha la anterior manifestación y en su virtud condene en costas a la Administración demandada.

Es justicia que pido en "localidad", a "día, mes y año".

Fdo. "nombre y apellidos del Letrado"

Letrado "número de colegiado "

Fdo. "nombre y apellidos del Procurador"

Procurador

9.3 FORMULARIOS EN MATERIA DE TRANSPARENCIA

• **El Portal de la Transparencia de la Administración General del Estado:** es el Portal desarrollado por la Administración General del Estado y dependiente del Ministerio para la Transformación Digital y de la Función Pública, concretamente de la Dirección General de Gobernanza Pública, que facilitará el acceso de la ciudadanía a toda la información prevista en la Ley, cuyo conocimiento sea relevante para garantizar la transparencia de su actividad relacionada con el funcionamiento y control de la actuación pública. La ciudadanía tiene derecho de acceso a la información pública, esto es, los contenidos o documentos, cualquiera que sea su formato o soporte, que obren en poder de alguno de los sujetos que integran las Administraciones Públicas y que hayan sido elaborados o adquiridos en el ejercicio de sus funciones.

El solicitante no está obligado a motivar su solicitud de acceso a la información. Sin embargo, podrá exponer los motivos por los que solicita la información y que podrán ser tenidos en cuenta cuando se dicte la resolución.

Portal de acceso para presentar una solicitud de derecho de acceso telemáticamente: https://transparencia.gob.es/transparencia/transparencia_Home/index/Derecho-de-acceso-a-la-informacion-publica/Solicite-informacion.html#PT

• **Reclamación ante el Consejo de Transparencia y Buen Gobierno:** si has solicitado información a la Administración y te la han denegado o no te satisface lo que te han contestado o bien no has recibido respuesta a tus preguntas, puedes poner una reclamación ante el Consejo de Transparencia y Buen Gobierno, que se encargará de decidir si la información debe facilitártela. La reclamación es, por tanto, una petición que haces al Consejo de Transparencia para que revise la decisión de la Administración sobre tu solicitud de información.

Si te ha contestado el Portal de Transparencia, tienes el plazo de un mes desde el día siguiente a su respuesta. Transcurrido más de un mes sin que hayas recibido contestación (silencio administrativo), puedes también reclamar.

Portal de acceso para presentar una solicitud de derecho de acceso telemáticamente: https://transparencia.gob.es/transparencia/transparencia_Home/index/Derecho-de-acceso-a-la-informacion-publica/Solicite-informacion.html#PT